JOSUÉ GONÇALVES

CB143555

FAMÍLIA INDESTRUTÍVEL

mundocristão
São Paulo

Copyright © 2017 por Josué Gonçalves
Publicado por Editora Mundo Cristão

Os textos das referências bíblicas foram extraídos da *Nova Versão Transformadora* (NVT), da Editora Mundo Cristão, salvo indicação específica. Usados com permissão da Tyndale House Publishers, Inc. Eventuais destaques nos textos bíblicos e citações em geral referem-se a grifos do autor.

Todos os direitos reservados e protegidos pela Lei 9.610, de 19/02/1998.

É expressamente proibida a reprodução total ou parcial deste livro, por quaisquer meios (eletrônicos, mecânicos, fotográficos, gravação e outros), sem prévia autorização, por escrito, da editora.

CIP-Brasil. Catalogação na publicação
Sindicato Nacional dos Editores de Livros, RJ

G626f

Gonçalves, Josué
Família indestrutível / Josué Gonçalves. - 1. ed. - São Paulo: Mundo Cristão, 2017.
176 p.; 21 cm.

ISBN 978-85-433-0208-9

1. Família - Aspectos religiosos - Cristianismo. 2. Vida cristã. I. Título.

16-38192 CDD: 248.48
CDU: 249

Categoria: Família

Publicado no Brasil com todos os direitos reservados por:
Editora Mundo Cristão
Rua Antônio Carlos Tacconi, 79, São Paulo, SP, Brasil, CEP 04810-020
Telefone: (11) 2127-4147
www.mundocristao.com.br

1ª edição: março de 2017

Para Rousemary, minha companheira de todas as horas em nossa viagem conjugal. Sem você, esta obra não faria sentido, pois nela conto muito da nossa história. Obrigado por você ser uma mulher que me inspira desde o início da jornada!

SUMÁRIO

AGRADECIMENTOS

Ao meu Senhor Jesus, que me chamou para essa tão nobre missão de implantar a cultura do reino de Deus nas famílias. A ele seja toda a honra e glória para sempre!

Aos meus pais, Marina e Zico Gonçalves (*in memoriam*), que me ensinaram o caminho do evangelho e, por meio de sua vida, mostraram-me o que é ser um homem de Deus.

À minha esposa, Rousemary, e aos meus filhos, Letícia, Douglas e Pedro, que têm sido instrumentos nas mãos do Eterno para me ajudar a ser uma pessoa melhor a cada dia.

Aos meus amigos Antônio Campasse, José Amaro da Silva, Silas Malafaia e Estevam Fernandes, alguns dos muitos pastores que fazem parte da história do meu chamado para trabalhar com famílias no Brasil.

Ao casal Paulo Lima e Cláudia, incansáveis intercessores e conselheiros da nossa Clínica de Recuperação de Casamentos.

Ao Maurício Zágari, editor da Mundo Cristão, pelo brilhante trabalho na organização do texto desta obra.

Ao Renato Fleischner, diretor da Mundo Cristão, pela parceria na missão de implantar a cultura do reino de Deus nas famílias.

APRESENTAÇÃO

O assunto *família* nunca perderá importância na perspectiva das boas-novas de Jesus Cristo, e isso por uma série de razões. A família é a base da Igreja. É a estrutura que solidifica a sociedade. É o ambiente no qual as pessoas encontram equilíbrio, amparo, encorajamento e tudo o mais de que necessitam para uma vida segura e frutífera. A família é um tesouro tão precioso para Deus que a Bíblia assegura: "Aqueles que não cuidam dos seus, especialmente dos de sua própria família, negaram a fé e são piores que os descrentes" (1Tm 5.8). Isso mostra que os cuidados familiares estão diretamente conectados à qualidade da nossa fé. Por isso, dedicar a vida a cuidar das famílias é uma tarefa importantíssima, indispensável e necessária para o reino de Deus.

Josué Gonçalves é uma das pessoas que têm se destacado no Brasil na área de edificação familiar. Certas pessoas têm o nome automaticamente relacionado a determinados conceitos. No caso dele, isso é um fato indiscutível: basta mencionar o nome do pastor Josué que imediatamente somos remetidos à ideia de *família*. É natural. Seu ministério tem sido direcionado para edificar um número incalculável de pessoas no que se refere à vida familiar, ao casamento e a tudo o que está relacionado ao ambiente do lar e suas complexas relações.

Com anos de dedicação ao trabalho com famílias, por meio de congressos, pregações, palestras, áudios e textos, o pastor Josué acumulou uma rica experiência nessa área, que o gabarita a prestar importantes conselhos e orientações para homens e mulheres que anseiam por caminhar dentro da vontade de Deus.

Em dias como os nossos, em que há um bombardeio feroz contra o núcleo familiar e o casamento — promovido por segmentos diversos da sociedade não cristã com auxílio da grande mídia —, torna-se cada vez mais importante receber orientações bíblicas acerca do caminho correto a trilhar com aqueles que Deus nos deu para compartilhar nossa vida.

Nesse sentido, este livro é uma ferramenta poderosa para auxiliá-lo, e aqueles a quem você ama, a superar problemas, acertar desajustes, superar traumas e feridas e colocar as coisas no seu devido lugar. É uma obra que convida o leitor a mudar, melhorar e, se for o caso, redefinir seu modo de ser, a fim de preservar sua família dos ataques que vêm de todos os lados. Com base nos conceitos da fé, da psicologia e de outras fontes abalizadas, o pastor Josué oferece um rico guia para ter uma vida familiar intensa e feliz. Siga as orientações que obterá ao longo das próximas páginas e prepare-se para fazer parte de uma família indestrutível.

Boa leitura!

Maurício Zágari
Editor

PREFÁCIO

Os sociólogos que estudam o mundo contemporâneo e a cultura que o domina chamam a atenção para as expressivas mudanças que estão em curso em nossa sociedade, as quais afetam tanto a mentalidade quanto o comportamento humano em dimensões globais. Essas transformações se dão em quase todas as áreas da vida, em especial no âmbito dos relacionamentos significativos e das instituições tradicionais, antes tidas como estáveis, mas que, agora, passam por novas configurações e apresentam padrões de comportamento inéditos. Nesse cenário de tantas mudanças encontram-se o casamento e a família, cujos fundamentos tradicionais e cristãos vêm sendo extremamente abalados.

Dentre as diferentes marcas que identificam o tempo atual, chamado pelos sociólogos de pós-modernidade, estão o descompromisso e a transitoriedade. Isto é, nossa cultura está a serviço da desconstrução dos valores e das crenças tradicionais. Como consequência dessa mentalidade, os relacionamentos humanos tornam-se cada vez mais frágeis e transitórios.

A ideia de sólido, duradouro e consistente deu lugar ao que o sociólogo polonês Zygmunt Bauman, um dos principais estudiosos e críticos da pós-modernidade, chama de "sociedade líquida", um mundo desprovido de certezas, cujas mudanças ocorrem tão rapidamente que é impossível se pensar em algo para além do momento presente. É o "aqui e agora" dominando a mente e o comportamento do nosso tempo. Se o amanhã está longe demais, como sonhar com o *para sempre*? Se tudo se desfaz rapidamente, como conceber o indestrutível?

É exatamente na contramão desse pensamento marcadamente imediatista e hedonista que surge mais uma excelente obra do pastor Josué Gonçalves. Ela é muito bem-vinda em um momento crucial para a igreja evangélica brasileira, quando os fundamentos bíblicos do casamento e da família estão sendo abalados pela cultura secularizada que nos cerca.

São oito capítulos escritos, como já é próprio do autor, com clareza e profundidade, biblicamente alicerçados e pedagogicamente elaborados com o objetivo claro de ensinar aos casais — desde o período do namoro e por todo o casamento — como edificar uma família forte, saudável e indestrutível, resistente ao tempo e às pressões da cultura. Dessa maneira, eles cumprirão os propósitos de Deus quando instituiu o casamento e, por meio deste, a família como o *locus* primeiro e sagrado para a experiência humana da felicidade e da alegria, do amor e do afeto, do crescimento e da espiritualidade; enfim, da riqueza e dos desafios da vida compartilhada debaixo de uma promessa e de uma decisão: juntos até que somente a morte os separe.

O autor dispensa muita apresentação. Conhecido em todo o Brasil e também pelo mundo afora, o pastor Josué Gonçalves é, sem dúvida alguma, o maior especialista em família que temos hoje no contexto da igreja evangélica brasileira. Quando o assunto é família, logo seu nome é citado, como se fossem inseparáveis. Dono de uma vasta obra e de um profícuo ministério nessa área, o pastor Josué é reconhecido não apenas por suas muitas publicações específicas sobre namoro, casamento e família, mas também pelos seminários, encontros e congressos que organiza por todo o Brasil. Seu empenho e dedicação em prol das famílias, fortalecendo os casamentos e deles cuidando segundo os padrões das Sagradas Escrituras, fazem com que ele seja reconhecido como o "apóstolo da família", um homem, um ministério e uma vida a serviço da mais significativa instituição divina.

O livro que você tem em mãos é um convite à degustação capítulo por capítulo. Cada um deles tem sabor diferente, mas toda a obra é igualmente prazerosa e nada pode ser deixado de lado. Já no início, o alerta para os jovens solteiros sobre a importância de submeter a escolha do futuro cônjuge à sábia vontade de Deus, evitando assim desastres conjugais, como bem diz o autor: "É muito mais difícil consertar um relacionamento que começou com um monte de erros do que firmar um matrimônio entre um casal que deu os passos certos desde o início". Todo jovem cristão deve ser incentivado a ler o primeiro capítulo, que fornece uma espécie de "mapa" norteador dos passos na direção da escolha de um parceiro ideal para um casamento indestrutível.

Usando a metáfora da construção, e o fazendo com maestria, o autor olha para o casamento não como sendo algo acabado, mas como um projeto em execução, no qual é preciso que o casal tenha a consciência de que a vida a dois é um desafio constante para se aprender a respeitar as diferenças e lidar com elas. Um desafio de se abrir para o totalmente novo, uma nova cultura — usando uma expressão do autor —, isso porque a felicidade conjugal deve ser conquistada no dia a dia, com esforço e sacrifício mútuos, motivados pelo sonho e pela decisão de caminharem juntos. Vale a pena conferir as cinco fases do casamento propostas, no segundo capítulo, como condições para se estabelecer um matrimônio saudável e duradouro.

"É possível permanecer casado e feliz"? Essa é a grande questão levantada no início do terceiro capítulo, e o leitor não fica sem resposta! Claro que sim, desde que a visão de Deus para o casamento seja restaurada e os vícios humanos sejam corrigidos, dentre eles o individualismo, o hedonismo e o impulso pelo divórcio. Os capítulos 4 e 5 seguem na mesma direção, aprofundando temas relevantes para a vida em família e revelando as condições necessárias para se estabelecer um casamento indestrutível, um casamento à prova de divórcio. São princípios que abordam temas como santidade, compromisso e prestação de contas, além de muitas outras dicas para que o casamento e a família tornem-se espaços de aprendizado, crescimento e transformação. Lembrando uma expressão própria do autor em muitos de seus seminários, "casamento é uma viagem para toda a vida". No entanto, para que isso aconteça, será preciso planejamento e investimento, especialmente quando o casal se livra de uma mentalidade mesquinha e desprovida de sonhos para a vida a dois.

A abordagem sobre a importância da experiência e da prática do perdão dentro das relações familiares como condição de cura e libertação, abrindo o caminho para uma vida feliz, faz do sexto capítulo o espaço mais terapêutico do livro. É como sentar-se à cabeceira de um conselheiro matrimonial para ouvir uma excelente explanação sobre a importância do perdão dentro de casa. É um capítulo magistral! É Bíblia pura! Não se pode deixar de degustar por meio da leitura o que Deus coloca sobre a nossa "mesa conjugal", com nutrientes indispensáveis para a saúde dos relacionamentos na família.

O sétimo capítulo é o mais pragmático de todos. Aborda um dos temas mais centrais e controversos da vida conjugal: a gestão das finanças do casal. Nele, o autor oferece uma rica oportunidade para reparação e planejamento da economia doméstica por meio de 47 importantes dicas. Na verdade, todo o capítulo é uma excepcional e oportuna aula de economia doméstica. Imperdível!

Por fim, como quem nos oferece uma especial sobremesa depois de tanta degustação acerca da felicidade e da alegria de viver e conviver numa família que seja indestrutível, o autor encerra o livro tratando de outro tema importante e controverso: a sexualidade do casal. Apesar de ser um assunto ainda rodeado de tabus, preconceitos e desinformações, especialmente no mundo evangélico, o pastor Josué Gonçalves se revela também um mestre nessa questão, lidando com o tema sem vulgaridades que o banalizem e sem excessos de academicismo que o reduzam a técnicas frias e desprovidas de amor, afeto, sedução e cumplicidade, tão necessários quando o assunto é esse. Para ele, a sexualidade é a celebração do amor no casamento. Todavia, para que isso aconteça, o casal precisa superar alguns obstáculos, tomar algumas decisões quanto a sua vida sexual e tanto o homem quanto a mulher devem entender e assumir seu papel para que o desempenho sexual seja pleno de prazer, ausente de culpas e santificado pela presença de Deus.

Parabéns à editora Mundo Cristão por reconhecer o inestimável valor do autor nessa área e por colocar em nossas mãos uma obra tão valiosa, com temáticas abrangentes, orientações sábias e profundidade bíblica. Parabéns ao público evangélico brasileiro pelo acesso a um texto inspirado por Deus e endossado pelos ensinamentos de um autor que é autoridade reconhecida na área. Todos ganhamos quando alguém nos leva a um patamar mais alto. Família indestrutível, vontade de Deus para todo o casal cristão.

ESTEVAM FERNANDES DE OLIVEIRA
Pastor presidente da Primeira Igreja Batista de João Pessoa (PB)

Cada homem deve ter sua própria esposa, e cada mulher, seu próprio marido.

1 Coríntios 7.2

INTRODUÇÃO

Falar de família é falar da nascente do rio da própria civilização, da oficina que modela o caráter do ser humano, da base que sustenta a sociedade e a Igreja. É falar do ponto de partida de todos os outros relacionamentos.

A família é o espaço onde aprendemos a amar e ser amados, a abraçar e sermos abraçados, a abençoar e sermos abençoados, a consolar e sermos consolados, a levantar e sermos levantados, a aplaudir e sermos aplaudidos, a reconhecer e sermos reconhecidos. Porém, a família não é apenas foco de alegria e festas; é também de dor e sofrimento. É o ambiente onde sentimos muitas vezes a dor da despedida de quem não queríamos que fosse embora, a dor da ingratidão daqueles cujo coração não tem memória, a dor da desonra dos que perderam o valor do respeito, a dor da agressão verbal daqueles que usam as palavras como armas mortíferas.

Por essa razão, quando a cultura do reino de Deus invade uma casa e alcança a família, a graça de Deus, por meio das boas-novas de Cristo, faz dela um lugar de cura, libertação, perdão, vida e refrigério. É por meio desta revolução da graça de Deus na família que a casa se torna uma extensão do céu — quando todos os membros passam a ter vontade de voltar para casa, permanecer ali e viver a experiência da maravilhosa comunhão em família.

Como você descreveria a sua casa hoje? Certo dia uma professora perguntou aos seus alunos: "Vocês sabem onde fica o inferno?". Um menino levantou a mão e disse: "Eu sei". Ao que a professora perguntou: "Onde?". E o aluno deu a triste resposta: "O inferno fica na minha casa. Meu pai é alcoólatra, chega quase todos os dias embriagado. Já vi minha mãe muitas vezes ser agredida por ele, e nós, com frequência, também sofremos agressões. Não há paz em nossa casa".

Sete meses depois, a professora fez outra pergunta. "Vocês sabem onde fica o céu?". O mesmo menino levantou a mão e disse: "Eu sei". "Onde?", indagou a professora. "O céu fica na minha casa". A professora quis saber o que havia acontecido e pediu para ele contar. O menino ficou em pé e relatou para toda a classe: "Professora, sete meses atrás, um casal de missionários evangélicos nos visitou e, aproveitando que meu pai estava sóbrio naquele dia, compartilhou a mensagem do evangelho com toda a família. Todos nós recebemos Jesus como Salvador e Senhor. Desde o dia em que Jesus entrou em nossa vida, libertando-nos da opressão do diabo, o inferno saiu da nossa casa e deu lugar ao céu".

Quando Jesus está envolvido na vida da família, não há deformação, mas sim transformação. Foi o que aconteceu com um casal de Caná da Galileia, que convidou Jesus para a festa de casamento (Jo 2.1-10). Bem antes que a festa terminasse, o vinho acabou. Dentro da cultura judaica, essa bebida era o principal elemento da celebração matrimonial; por isso, se acabasse antes do final, a decepção para a família e para os noivos seria muito grande. O que não poderia acontecer, aconteceu. O vinho acabou. Maria, a mãe de Jesus, o procurou em busca de uma solução e, no momento certo, ele interveio e *transformou* em vinho a água contida em seis talhas — e vinho da melhor qualidade! Observe que a presença de Jesus naquela casa foi a causa do milagre de transformação.

A maior evidência de uma família distanciada de Deus está nos sinais que evidenciam a ausência de Jesus no dia a dia do lar. Quanto mais a família permite que Jesus seja o Senhor da casa, mais ela experimenta do céu e todos os dias a transformação acontece. Não basta a família morar em uma residência excelente e dispendiosa, mas não ter um lar que seja um refúgio para as pressões e tensões da vida. O que adianta uma família "morar bem", porém "viver mal"?

Quando Deus pensou na família, não idealizou uma "prisão", isto é, um ambiente de perda total da liberdade; não idealizou um "ringue", isto é, um lugar de conflitos intermináveis; nem uma "pensão", isto é, um local de passagem. Jesus pensou em uma comunidade de amor, em que houvesse respeito, honra, proteção, direção, provisão, aconchego, carinho e vida abundante. Quando as pessoas compreendem que a família existe para glorificar a Deus e ser um espaço para servir e abençoar uns aos outros, em amor, todos passam a experimentar o "céu em casa". A verdade é que, quando as pessoas carregam dentro de si o céu, elas espalham as marcas do céu onde quer que cheguem ou vivam.

É comum as pessoas que ainda não experimentaram essa "realidade celestial" na vivência do lar fazerem perguntas como: "É verdade que o divórcio pode começar no namoro?", "Onde começa a construção de um casamento e de uma família saudável?", "É possível ter um casamento marcado por compreensão, respeito, solidariedade, sensibilidade, cooperação e gentileza?", "Existe família onde o amor sempre fala mais alto?", "É possível conviver com a família de origem do cônjuge sem estresse?" e "Existe casamento e família sem crise, ou sem a estação das fortes chuvas e vendavais?". A resposta para todas essas perguntas está no caminho que você vai trilhar comigo neste livro. Juntos vamos redescobrir valores que fazem toda a diferença na construção do nosso projeto de vida conjugal e familiar. Até o final da leitura você compreenderá que é possível fazer do lar uma "extensão do céu"— e lembre-se, essa é a vontade de Deus.

1

PREPARAÇÃO

Toda pessoa que deseja construir uma família indestrutível precisa se preocupar com a estrutura da vida a dois desde seus primórdios, isto é, desde a preparação, que se inicia no namoro. É muito mais difícil consertar um relacionamento que já começou com um monte de erros do que firmar um matrimônio entre um casal que deu os passos certos desde o início.

A Bíblia relata uma história que deve ser analisada por quem deseja decidir o futuro com inteligência e construir uma família indestrutível: o relato de como Abraão foi conduzido por Deus a fim de encontrar uma esposa para seu filho Isaque. O relato do encontro da família do patriarca com Rebeca contém diretrizes e rumos que são úteis para nortear a vida dos cristãos em nossos dias, mais de quatro mil anos após os fatos terem ocorrido.

Uma escolha pode resultar em bênção ou maldição para o resto da vida. Abraão sabia disso e se preocupou com a mulher que seria a esposa de Isaque. Naquela época, era costume que o pai escolhesse quem se casaria com o filho, e o futuro de

Isaque dependia dessa decisão. Abraão era já idoso, com cerca de 140 anos (Gn 21.5; 25.20). Deus o havia abençoado em tudo, tornando-o um dos homens mais ricos de seu tempo. Seu filho Isaque, porém, ainda estava solteiro, o que, para ele como pai, era preocupante.

Abraão chamou seu mordomo mais antigo, em quem confiava plenamente, e lhe deu a missão de encontrar uma esposa para Isaque na terra onde viviam seus parentes. O empregado jurou a Abraão que faria tudo conforme suas orientações: "Jure pelo SENHOR, o Deus dos céus e da terra, que não deixará meu filho se casar com uma das mulheres cananitas que aqui vivem, mas irá à minha terra natal, aos meus parentes, procurar uma mulher para meu filho Isaque" (Gn 24.3-4).

Quais eram os motivos dessa preocupação? A realidade é que uma escolha errada pode ter consequências imprevisíveis. Isaque nasceu da promessa divina e havia promessas de Deus que poderiam ficar comprometidas se ele se casasse com alguém que não cumprisse os propósitos do Senhor.

Em nossos dias, muitos jovens não levam a sério as implicações de uma escolha errada, que acaba fazendo que as promessas de Deus não se cumpram em sua vida. Se você está em busca de alguém com quem construir um projeto de vida a dois, eu gostaria de lhe dar algumas orientações para quando tiver de tomar uma decisão.

Analise bem a situação. Pergunte a si mesmo o que deseja com a união, o que é importante preservar, que problemas deve evitar — e questionamentos semelhantes. Pese os prós e os contras, analisando as vantagens e as desvantagens de cada alternativa. Se o problema a ser resolvido exigir mais tempo, adie a decisão; durma sobre o assunto, até que a ideia amadureça. Na dúvida, nunca "bata o martelo", pois, às vezes, a resolução é correta, mas o momento é errado.

Na medida do possível, decida uma coisa de cada vez. Se começar pelas mais importantes e difíceis, as demais se tornarão fáceis. Procure discutir o assunto com alguém de confiança, pois, em geral, duas pessoas pensam melhor que uma. Evidentemente, você deve orar a Deus, pedindo sabedoria, admitindo mudar suas decisões, desde que seja possível e necessário. Saiba que você é responsável por outras pessoas que serão afetadas por sua escolha, por isso não decida com base apenas no prazer que lhe proporcionará.

Quem tem consciência de seu compromisso com Cristo busca sempre acertar na escolha do futuro cônjuge. Para esses, apresento alguns critérios que os ajudarão a acertar na escolha de seu par, pois, para isso, é necessário atentar para quatro princípios imprescindíveis.

Quem tem consciência de seu compromisso com Cristo busca sempre acertar na escolha do futuro cônjuge.

Primeiro, *é preciso submeter sua escolha à direção de Deus*. Abraão orientou seu mordomo a visitar os parentes e de lá tomar uma esposa para Isaque. Deus tem prazer em guiar aqueles que se submetem à sua vontade. Quando somos guiados pelo Senhor, mesmo estando no escuro vale da morte, teremos nele segurança e certeza de que nos protegerá, pois caminhamos no centro de sua vontade.

Segundo, *o escolhido tem de ser gente da família de Deus* (Gn 24.4). Talvez essa seja uma das questões mais discutidas entre os jovens cristãos. "Por que não posso namorar uma pessoa descrente? Só pelo fato de não ser evangélica entrarei em jugo desigual?" Jugo é aquela canga que os bois têm sobre seu pescoço. Se a canga não estiver igualada dos dois lados, os animais não conseguirão andar juntos. "Não se ponham em jugo desigual com os descrentes. Como pode a justiça ser parceira da maldade? Como pode a luz conviver com as trevas? Que harmonia pode haver entre Cristo e o diabo? Como alguém que crê pode se ligar a quem não crê? E que união pode haver entre o templo de Deus e os ídolos? Pois somos o templo do Deus vivo" (2Co 6.14-16). O princípio está presente também em outros textos da Escritura: Êxodo 34.11-16; Deuteronômio 7.1-6; Neemias 13.26-27; Amós 3.3. No jugo desigual, quando duas pessoas não partilham da mesma fé, os interesses e valores são diferentes, o que torna a caminhada a dois extremamente árdua.

Terceiro, *a decisão tem de ser tomada em oração e com um coração submisso ao Senhor* (Gn 24.12-15). Nossos jovens, de certa forma, desaprenderam o hábito de orar. O que aconteceu com o profeta Jonas também acontece hoje. O profeta só orou depois que estava no fundo do mar, quando consultar Deus deveria ser a primeira coisa a fazer. O Senhor não quer que você entre no navio errado, que pegue o caminho equivocado e viaje com pessoas inadequadas. Deus sabe qual é o navio certo, o caminho certo e a pessoa certa, e onde fica o porto seguro.

Quarto, *a beleza da pessoa escolhida deve vir, acima de tudo, do caráter*. Caráter é o somatório de todas as influências, positivas ou negativas, adquiridas na vida de uma pessoa. Trata-se de um conjunto de hábitos desenvolvidos ao longo do tempo, que define quem o indivíduo é. Caráter é o alicerce do prédio, aquilo que não se vê, mas que sustenta e dá segurança. Rebeca notadamente era uma moça de caráter, pois tinha disposição para servir e trabalhar, era hospitaleira, boa filha e boa irmã, decidida (sabia o que queria) e virgem.

A questão da virgindade precisa ser abordada com cuidado e mais detalhadamente, pois, em nossos dias, a sociedade tem imposto uma pressão enorme sobre os jovens cristãos a fim de que se casem sem ter preservado a pureza sexual.

POR QUE MANTER-SE VIRGEM?

Preservar-se puro até o casamento não é um tabu retrógrado, como muitos tentam fazer parecer, mas uma postura importante. Há três razões principais pelas quais o jovem deve esperar para se relacionar sexualmente apenas no contexto do casamento: física e psicológica, espiritual e emocional.

Em termos *físicos e psicológicos*, a virgindade é uma proteção contra o vício da prática de sexo ilícito, que pode provocar, entre outras coisas, a destruição da autoimagem. A espera também evita que se contraiam doenças sexualmente transmissíveis, além de representar a melhor proteção contra a gravidez indesejada e consequentes abortos. O Senhor quer que as pessoas entrem no casamento livres de culpa, de feridas emocionais e de experiências passadas com as quais o cônjuge será sempre comparado. Livres, também, para se tornarem uma só carne com o cônjuge por toda a vida. Deus sabe que só assim será possível para nós experimentarmos o máximo do sexo, e é isso que ele quer para nós — nada menos que isso.

No campo da *espiritualidade*, é essencial manter-se virgem até o casamento porque a prática do sexo pré-nupcial faz que o jovem perca o respeito pelo próprio corpo e pelo da outra pessoa. "Fujam da imoralidade sexual! Nenhum outro pecado afeta o corpo como esse, pois a imoralidade sexual é um pecado contra o próprio corpo" (1Co 6.18). Quando se perde o respeito, é fácil para uma pessoa se tornar promíscua. Deus quer proteger seus filhos das consequências do juízo final, quando ele "julgará os impuros e os adúlteros" (Hb 13.4; cf. 1Ts 4.8). O juízo de Deus nem sempre é imediato, mas é sempre certo. Além disso, o Senhor também deseja nos proteger de qualquer coisa que interrompa nossa comunhão com ele. Por fim, Deus quer evitar que sejamos más testemunhas. Lembre-se sempre de que a espera só é suportável se a pessoa desenvolve um relacionamento íntimo com Jesus.

Emocionalmente, é importante preservar a virgindade porque a prática do sexo ilícito pode causar grandes males, como o estresse e o sentimento de culpa. Deus quer proteger seus filhos de emoções enganadoras, do ressentimento, dos medos e de tudo aquilo que a desobediência à vontade soberana do Senhor provoca de ruim.

Se cremos que nós mesmos possuímos nosso corpo, então a porta fica aberta para todo tipo de escolha, mas, se concordamos que nosso corpo pertence a Deus, então nossas escolhas sexuais se limitam às leis que ele estabeleceu.

Sei que é difícil refrear os impulsos sexuais. Uma das maneiras de adquirirmos força para vencer as tentações é compreender quem é o dono do nosso corpo. Se cremos que nós mesmos possuímos nosso corpo, então a porta fica aberta para todo tipo de escolha, mas, se concordamos que nosso corpo pertence a Deus, então nossas escolhas sexuais se limitam às leis que ele estabeleceu. Com esse entendimento, surge a oportunidade de encararmos as tentações sexuais como oportunidades de reafirmar nossa fidelidade a Cristo.

A compreensão de que não pertencemos a nós mesmos vem de Paulo, que pergunta: "Vocês não sabem que seu corpo é o templo do Espírito Santo, que habita em vocês e lhes foi dado por Deus? Vocês não pertencem a si mesmos, pois foram comprados por alto preço. Portanto, honrem a Deus com seu corpo" (1Co 6.19-20). Portanto, a questão da pureza sexual está ligada ao dono do meu corpo, e não a mim mesmo. Nossos desejos muitas vezes exigem que sacrifiquemos valores que são permanentes no altar dos valores imediatos. É por isso que temos de nos render ao fato de que o direito de posse sobre o nosso corpo é do Criador. Os prazeres pecaminosos precisam ser substituídos por outro tipo de contentamento: "Tu me mostrarás o caminho da vida e me darás a alegria de tua presença e o prazer de viver contigo para sempre" (Sl 16.11).

A maior dificuldade dos jovens em preservar a virgindade até o casamento surge diante das pressões de amigos e namorados. São pressões que podem até parecer irrelevantes, mas que configuram um tipo de chantagem emocional que sobrecarrega muito os jovens na hora de tomar suas decisões. É importante aprender a dizer *não* às várias situações que surgem por pressão de amigos ou mesmo do namorado ou namorada. A boa notícia é que o jovem de caráter sempre saberá responder com sabedoria às frases mais comuns que seus colegas usam como forma de pressão para tentar levá-los ao pecado. Listo a seguir algumas respostas para frases usuais:

- *Todo mundo está fazendo*. Ótimo! Acho que você não terá dificuldade nenhuma em encontrar outra pessoa!
- *Se você me ama, prove fazendo sexo comigo*. Se você me ama, vai respeitar meus sentimentos e não me pressionar a fazer algo antes da hora certa. Se você me ama, pode esperar.

- *Se não fizer amor comigo, não quero mais ver você.* Bem, se é o que você quer, vou sentir sua falta, mas é assim que vai ser.
- *Você não é mais criança.* Fazer sexo não quer dizer que você seja adulto. Ser adulto para mim significa decidir o que creio e agir de acordo com o que penso!
- *Você não quer experimentar para saber como é?* O que é isso? Algum tipo de propaganda?
- *Tente, você vai gostar!* Prefiro experimentar com o meu futuro cônjuge.
- *Mas eu preciso fazer!* Não precisa, não! Se eu posso esperar, por que você não pode?
- *Se você quer ser popular com a turma, então tem de fazer.* Não dependo de sexo para ser popular. Tenho outras coisas a oferecer. As pessoas gostam da gente pelo tipo de pessoa que a gente é, pelo caráter que tem.
- *Se você não fizer, vou procurar outra pessoa.* Se tudo o que significo para você é um corpo para fazer sexo, então acho que devemos conversar a respeito da razão de estarmos namorando. Você não tem direito de me usar.
- *Se você gosta de mim, fará sexo comigo.* Existem muitas maneiras de se demonstrar que se gosta de alguém, não necessariamente fazendo sexo.
- *Você não sabe o que está perdendo.* Então somos dois.
- *Você quer que os outros pensem que você não é homem?* Fazer sexo não prova que alguém seja homem. Meu cachorro não é homem e faz sexo.
- *Não se preocupe, usarei proteção.* Você vai precisar de proteção se não me deixar em paz.
- *Faço com todas as minhas namoradas.* Bem, então creio que não serei mais sua namorada.

- *Você ainda é virgem? O que há com você, é frígida?* Não, sou esperta.
- *Sexo faz que você tenha pele bonita.* Prefiro usar maquiagem.

DÚVIDAS FREQUENTES SOBRE NAMORO

É muito comum que solteiros tenham uma grande quantidade de dúvidas relacionadas ao namoro. Por essa razão, gostaria de compartilhar respostas para os questionamentos mais frequentes que chegam até mim sobre esse assunto.

Quando um cristão se interessa por outra pessoa, deve compreender exatamente que tipo de sentimento tem por ela, se amor ou paixão. O amor é algo que cresce e se desenvolve. A paixão é repentina; aparece num momento e logo desaparece. O amor se baseia no compartilhar mútuo; a paixão se baseia na satisfação egoísta. O amor se concentra numa pessoa como alvo; já a paixão tem dificuldade em dirigir-se a uma só pessoa. O amor tem como fundamento a segurança e a confiança; a paixão se caracteriza pela insegurança e por ciúmes. O amor compreende que o físico é uma parte do amor; a paixão entende que o físico é o mais importante e central no relacionamento. Onde existe amor, há respeito mútuo; mas, quando existe só a paixão, a exploração e a manipulação entram em cena. Os ideais do amor se baseiam na realidade de suas personalidades e possibilidades; os ideais da paixão baseiam-se em fantasias. Onde existe o verdadeiro amor, os dois crescem igualmente, e o amor os leva a conhecerem-se e se ajustarem. No amor os

> *Os ideais do amor se baseiam na realidade de suas personalidades e possibilidades; os ideais da paixão baseiam-se em fantasias.*

dois mutuamente se ajudam e buscam o melhor um para o outro; mas, na paixão, há uma competição para ver quem tem a última palavra.

É comum que no início do namoro a pessoa experimente um sentimento muito vigoroso. Nessa situação, pode-se confundir facilmente a empolgação com amor à primeira vista. Cuidado. Não creio que exista amor à primeira vista. Penso que pode haver uma atração à primeira vista que, por meio da aproximação e do conhecimento, se tornará amor. O amor é como uma semente que se planta e, na proporção em que se rega e cuida, cresce e produz os frutos da felicidade.

Em nossos dias, quando surge essa explosão de emoções no contato, a tentação de uma experiência rápida e imediata é grande. O jovem que serve a Cristo deve saber que essa não é uma atitude correta. "Ficar" não é interessante, porque configura um tipo de relacionamento superficial, perigoso, sem compromisso nem responsabilidade. Nossos jovens não podem ter o mesmo tipo de comportamento daqueles que não têm compromisso com Deus e sua Palavra. Quem deseja edificar um futuro sobre bases sólidas jamais aceitará isso. Ninguém gosta de ser usado como objeto e depois ser descartado.

Outra preocupação que o cristão deve ter é não ingressar em um relacionamento em jugo desigual. Para compreender isso corretamente, primeiro é importante entender o que *não* é jugo desigual. Jugo desigual não é casamento de pessoas de etnias diferentes, de classes sociais distintas, ou de níveis escolares díspares. O apóstolo Paulo deixou claro que o jugo desigual é quando uma pessoa nascida de novo e comprometida com Jesus se une a alguém que não nasceu de novo e, consequentemente, não tem compromisso com Jesus:

> Não se ponham em jugo desigual com os descrentes. Como pode a justiça ser parceira da maldade? Como pode a luz conviver com as trevas? Que harmonia pode haver entre Cristo e o diabo? Como alguém que crê pode se ligar a quem não crê? E que união pode haver entre o templo de Deus e os ídolos? Pois somos o templo do Deus vivo.
>
> 2Coríntios 6.14-16

Amós coaduna com essa instrução: "Acaso duas pessoas podem andar juntas se não estiverem de acordo?" (Am 3.3). Muitos consideram que namorar pessoas de idade muito diferente configura jugo desigual. Não é verdade. No entanto, uma diferença de idade muito grande entre os dois pode trazer problemas ao relacionamento. As escolhas que fazemos no que se refere ao namoro não podem ter como base apenas a emoção — é preciso usar a razão. Certas pessoas, na hora de escolher, colocam na lista só o lado positivo e desconsideram o lado negativo da questão. A diferença de idade implicará diferenças em relação a coisas como a maneira de ver a vida e de se comportar diante de certas situações, nos gostos, nas preferências e no sexo. Com o passar do tempo, o ciúme quase sempre passa a ser um fator perturbador no relacionamento. Tudo porque o envelhecimento é um processo que ninguém consegue parar; por isso, quem faz uma escolha nessas circunstâncias tem de pôr na balança todas as implicações.

Reforço: diferença de idade não configura jugo desigual. Se a diferença de idade for grande, os namorados têm de olhar para o futuro. Imagine um rapaz se casando com uma moça quinze anos mais velha que ele. Ela envelhecerá mais rapidamente e ele se verá ao lado de uma mulher que poderá parecer sua mãe. Da mesma forma, quando o homem é muito mais velho, a tendência é que ele assuma no futuro uma posição de pai. Existem ainda as implicações na área sexual que também precisam ser levadas em conta.

Ainda sobre a questão da idade, outra dúvida que assola muitos é a época ideal para se cogitar um namoro. Entenda que existem duas idades: a cronológica, que diz quantos anos você tem a partir do dia do nascimento; e a mental, que tem a ver com maturidade. Não basta ter idade cronológica se não tiver maturidade. O melhor tempo para namorar, noivar e casar é quando há maturidade para assumir um compromisso perpétuo com responsabilidade. "Há um momento certo para tudo, um tempo para cada atividade debaixo do céu" (Ec 3.1).

Os problemas da vida de solteiro só podem ser evitados quando a pessoa aprende desde cedo a confiar plenamente em Deus para as suas necessidades presentes e futuras; quando aprende a enfrentar honestamente os problemas e as dificuldades pessoais, a se entregar a outros com espírito de dedicação e amizade, a avaliar seus objetivos e a trabalhar no desenvolvimento de uma vida equilibrada — que combine adoração, trabalho, recreação e períodos de socialização ou solitude. Ser solteiro não é ser inferior ou preterido. Os solteiros têm todo o potencial para desenvolver vida plena, significativa e centrada em Cristo.

Os problemas da vida de solteiro só podem ser evitados quando a pessoa aprende desde cedo a confiar plenamente em Deus para as suas necessidades presentes e futuras.

Uma das áreas que mais geram debates entre quem está namorando é a da sexualidade. É natural, pois trata-se de algo que desperta curiosidade e envolve uma explosão de hormônios, duas forças que chegam ao pico na juventude. Para manter a santidade no que se refere à sexualidade, o solteiro deve evitar o excesso de aconchego com o namorado, pois isso leva ao abrasamento — e é extremamente difícil que um homem e uma mulher que estejam "pegando fogo" não cheguem ao ato sexual, o que configura pecado entre casais de namorados. O sexo é uma bênção para os casados. Carícias e apertos despertam nos namorados desejos que podem ser satisfeitos sem que se cometa pecado, e isto é lascívia. A Escritura recomenda que nosso relacionamento seja "não em paixões sensuais, como os gentios que não conhecem a Deus" (1Ts 4.5).

Em alguns casos, o namorado pressiona muito, pois deseja ter relações sexuais a todo custo. Quando isso acontece, deve-se levar Deus a sério: se for preciso, perca para ganhar. A moça pode se sentir pressionada, porém a decisão final será sempre sua: você é responsável por aquilo que deve ou não acontecer. Você é responsável e terá de decidir se entrega seu corpo aos prazeres de seu namorado ou se o consagra a Deus até o casamento. Seu corpo, antes de ser do futuro marido dentro do casamento, é o templo do Espírito Santo.

Para saciar seus apetites, muitos jovens em idade de namoro voltam-se para a masturbação. O impulso sexual masculino ou feminino é mental, emocional e espiritual, e a dinâmica biológica desse impulso é natural. A masturbação não é fisicamente prejudicial, como se afirmou muito no passado. No entanto, em casos extremos, o vício nessa prática durante a adolescência e início da idade adulta pode causar alguma incapacidade de resposta sexual. O vício da masturbação pode indicar problemas de ordem psicológica e espiritual. A prática produz sentimento de culpa, sensação de derrota e vergonha.

Além disso, o autoerotismo usa egoisticamente um dom que Deus nos deu com a finalidade de estabelecermos uma relação íntima com outra pessoa no casamento. A masturbação é uma das principais pedras de tropeço para o crescimento da vida espiritual do jovem, além de configurar violação do mandamento bíblico: "Portanto, digo aos solteiros e às viúvas: [...] se não conseguirem se controlar, devem se casar. É melhor se casar que arder em desejo" (1Co 7.8-9).

Infelizmente, há moças que acabam cedendo à tentação de se relacionar com o namorado. Pior: acabam engravidando. A gravidez de uma jovem solteira talvez seja a experiência mais traumática que ela venha a enfrentar. Se chegar a ocorrer, provavelmente a jovem sentirá como se tivesse perdido tudo o que tinha de mais precioso. Seus sentimentos se mesclam e ela pode ter pensamentos como "perdi meu passado", "serei sempre vista pelos homens como uma moça fácil, imoral e impura", "perdi minha liberdade", "perdi meu futuro", "perdi minha autoimagem" e "perdi meus relacionamentos". Esse tipo de pensamento acaba gerando aflição, vergonha e depressão.

Se acontecer de a jovem cristã ficar grávida do namorado, primeiro ela deve fazer uma confissão honesta a Deus: "Quem oculta seus pecados não prospera; quem os confessa e os abandona recebe misericórdia" (Pv 28.13). O começo da restauração está no arrependimento e na confissão sincera, pois esse é o caminho do perdão. A moça precisa pedir perdão a Deus e perdoar a si mesma. "Mas, se vivemos na luz, como Deus está na luz, temos comunhão uns com os outros, e o sangue de Jesus, seu Filho, nos purifica de todo pecado" (1Jo 1.7). Depois, é essencial abrir o jogo com os pais, com honestidade e sinceridade. Se ela achar que seus pais não vão compreendê-la e perdoá-la, se sentir medo de uma reação agressiva da parte deles, então o ideal é que recorra ao pastor da sua igreja ou a um conselheiro de confiança. A ideia do aborto deve ser rejeitada a todo custo. O aborto é crime, pois há uma vida em desenvolvimento. Deus tem propósitos para a criança que virá ao mundo!

A ideia do aborto deve ser rejeitada a todo custo. O aborto é crime, pois há uma vida em desenvolvimento. Deus tem propósitos para a criança que virá ao mundo!

Por fim, uma das dúvidas mais frequentes entre os jovens cristãos com relação ao namoro se refere a como reconhecer a vontade de Deus para sua vida. Muitos, conscientemente, sabem que devem buscar o Senhor a fim de obter direcionamento e não se envolver com alguém que seja uma pedra de tropeço. Nesse sentido, há quatro princípios que podem ser observados para iniciar um namoro de acordo com a vontade de Deus.

Atente para as orientações bíblicas. Abraão sabia o que Deus queria quando orientou seu mordomo a buscar uma esposa para Isaque. "O Senhor, o Deus dos céus, que me tirou da casa de meu pai e de minha terra natal, prometeu solenemente dar esta terra a meus descendentes. Ele enviará um anjo à sua frente e providenciará para que você encontre ali uma mulher para meu filho" (Gn 24.7).

Ore. O servo de Abraão "fez os camelos se ajoelharem perto de um poço nos arredores da cidade. Então o servo orou: 'Ó Senhor, Deus do meu senhor Abraão, por favor, dá-me sucesso hoje e sê bondoso com o meu senhor Abraão'" (Gn 24.11-12).

Atente para a paz no seu coração. "Você tem direito a suas convicções, mas guarde isso entre você e Deus. Felizes são aqueles que não se sentem culpados por fazer algo que consideram correto. Mas, se você tem dúvidas quanto ao que deve ou não comer, será culpado se comer, pois vai contra suas convicções. Se faz qualquer coisa sem convicção, está pecando" (Rm 14.22-23).

Observe as circunstâncias. Deus usou circunstâncias para levar o apóstolo Paulo a entender que rumo deveria tomar (At 16.6-10).

Lembre-se de que, quando se quer algo que esteja afinado com a vontade de Deus, ele tem prazer em atender e fazer cumprir os seus sonhos (Sl 37.4). Por outro lado, tudo estar bem não significa que se está agindo de acordo com a vontade de Deus; tampouco, tudo estar mal não indica que se esteja fora da vontade de Deus. Marcos 4.35-41 relata que, mesmo diante de um ato de obediência dos discípulos de Jesus, levantou-se um grande temporal. Eles estavam cumprindo a vontade do Senhor, mas, mesmo assim, houve tempestade. Nem sempre as tempestades significam que estamos fora dos rumos do Senhor. E nunca pense que a desobediência deliberada ao Senhor pode impedir o retorno ao centro da vontade divina. A nossa desobediência não surpreende o Onisciente. A sua graça nos alcança até o mais profundo abismo.

Quando se pensa em namorar, é fundamental estar sempre no centro da vontade de Deus, pois, sabendo que a bênção do Senhor está sobre o casal, é mais fácil descansar, confiante na ação divina: "Se o Senhor não constrói a casa, o trabalho dos construtores é vão. Se o Senhor não protege a cidade, de nada adianta guardá-la com sentinelas" (Sl 127.1). Casar de acordo com o querer de Deus é habitar numa construção sólida e viver numa cidade segura.

E, claro, é ter tudo para construir uma família indestrutível.

2

CONSTRUÇÃO

Nenhum casamento vem pronto; ele se constrói à custa de muito esforço, paciência, abnegação e dedicação. Nesse sentido, é importante saber que casar não é difícil; o desafio é construir um projeto de vida conjugal duradouro e feliz. O matrimônio pode ser uma prisão ou um lugar de liberdade, dependendo dos construtores. Deus não projetou o casamento para ser uma prisão, mas sim um ambiente relacional sadio, prazeroso e seguro. Quando o casal vive com essa consciência, fica mais fácil administrar as diferenças e desfrutar das bênçãos que o Senhor proporciona por meio do casamento.

Uma vez que a vida a dois tem início, é importante que marido e mulher tenham muita consciência dos aspectos a ela relacionados, a começar por entender exatamente o que é o matrimônio, à luz da Bíblia. O casamento é uma sociedade com autenticação divina (Gn 2.24) e, como em toda sociedade, a pessoa que se casa deve prestar contas de tudo aquilo que envolve o "sócio". Quem não gosta de prestar contas não deve se casar. Além disso, o casamento é um contrato social entre duas pessoas dispostas a servir (Lc 10.25-37). Quem não serve, não serve para casar. Quem não serve, não serve para ser marido ou esposa. A felicidade de um casal depende de quanto os dois estão dispostos a servir um ao outro.

A vida conjugal é, ainda, a construção de uma nova cultura, com base em duas já existentes. Quando nos casamos, todos trazemos da família de origem uma bagagem cultural, da qual algumas coisas devem ser mantidas e outras, tiradas. O casamento também é um pacto sagrado, social, público e monogâmico (Gn 2.24): sagrado, pois Deus foi a testemunha principal; social, porque tem uma função de responsabilidade perante a sociedade; público, porque é um compromisso assumido diante de pessoas (e tudo o que fazemos publicamente tem um peso de responsabilidade maior); e monogâmico, porque esse é o ideal de Deus para o ser humano.

Tudo isso mostra que o casamento é uma construção, cujo sucesso depende de muita dedicação e paciência, muito tempo e trabalho. E, como ocorre com qualquer construção, há um "cronograma de obras" dividido em cinco fases que, em geral, é seguido por todo casal.

AS CINCO FASES DO CASAMENTO

Assim como nossa vida tem fases — infância, pré-adolescência, adolescência, adolescência final e fase adulta —, no casamento não é diferente. Conhecer as fases do matrimônio pode nos ajudar a solucionar pontos de conflito e encontrar respostas para muitas dúvidas. Segundo a escritora Maggie Scarf, existem basicamente cinco fases no casamento:

Fase do encantamento. É quando um está enamorado do outro. Ocorre quando os cônjuges se sentem plenamente realizados e absolutamente preenchidos um pelo outro. Nesta fase o amor é cego. Há uma nutrição constante do vínculo, e a sensação é de completude e totalidade. Nenhum dos dois enxerga o "real", mas sim aquilo que foi idealizado, sonhado, desenhado no tempo de namoro e noivado. Ela o vê como um "príncipe encantado"; ele a vê como uma "princesa encantadora". Costumo dizer que nessa fase até o ronco dele soa como sinfonia; ela, mesmo despenteada quando acorda, é linda e maravilhosa. É um tempo em que tudo é motivo para poesia. Quanto tempo dura essa fase? Não sabemos; só podemos afirmar que ela passa.

Quando o casal é maduro e está aberto a aprender, logo percebe que o casamento é a união de dois seres humanos limitados e imperfeitos, que podem crescer e se desenvolver com a experiência conjugal. Isso faz toda a diferença.

Fase do desencantamento. É a fase da confrontação das expectativas irreais do casamento, quando os cônjuges começam a ver as diferenças entre as imagens que construíram do outro e o seu lado sombrio. É quando as coisas que estavam debaixo do tapete aparecem. Nesta fase muitas pessoas se desesperam na tentativa de mudar o companheiro, a fim de que ele corresponda à imagem idealizada. Um não aceita o outro como ele é. Nesse momento as pessoas são capazes de qualquer coisa: sufocam, oprimem, chantageiam, ameaçam, castigam-se mutuamente. Quando o casal é maduro e está aberto a aprender, logo percebe que o casamento é a união de dois seres humanos limitados e imperfeitos, que podem crescer e se desenvolver com a experiência conjugal. Isso faz toda a diferença.

Fase do "sejam férteis e multipliquem-se". É quando a mulher se dedica aos filhos pequenos e o homem está se afirmando profissionalmente, consolidando sua carreira. Nesta fase há o perigo de perder o parceiro de vista dentro do casamento. O homem mergulha no trabalho e a mulher é engolida pelo cuidado com a casa e as crianças e, muitas vezes, também com sua própria carreira profissional. Essa tensão drena todas as energias do casal. É uma época em que os dois engavetam frustrações, mágoas e raivas do passado. Se o casal nesta fase não buscar em Deus a saída, com certeza o fim será o aprofundamento de emoções negativas que já estavam emergindo no fim da fase de encantamento. O relacionamento pode se estagnar, encalhar e virar uma prisão insuportável. Os momentos de desencantamento são muito dolorosos, porque envolvem doses inevitáveis de frieza emocional. Esta é a hora de buscar ajuda externa.

Fase de questionamento e redefinições. É a fase em que os parceiros questionam o vínculo e fazem um balanço do relacionamento. Aqui está a grande oportunidade de o casal se libertar dos ressentimentos e das frustrações em relação ao cônjuge. Para alcançar essas mudanças é preciso enfrentar um processo trabalhoso, que pode, em compensação, dar lugar à vitória de Deus na relação, em ternura, cuidado com o outro e identificação. Quando não há esforço e interesse em mudar a situação, o resultado final é o divórcio emocional ou a convivência amarga em um casamento morto.

Fase de reintegração. É quando os filhos já estão adultos e o casal pode se redescobrir e se reaproximar. Pode-se chegar a um momento de integração quando marido e mulher, conscientes do que significa "casamento", conseguem superar as fases difíceis e seguir juntos. Podemos dizer que os dois atingiram o equilíbrio entre a individualidade e a intimidade.

Não existe mais disputa sobre "quanto é meu, quanto é seu e quanto é nosso"; o que há é companheirismo, compromisso de amizade e comunhão.

É claro que essas fases não são rígidas, com época e duração definidas e sequência predeterminada, com uma necessariamente seguindo a outra. Mas são momentos que todos os relacionamentos atravessam, com maior ou menor intensidade. Conhecidas essas fases, vamos ver como podemos construir um casamento indestrutível, aquele que é erguido tendo por alicerce a vontade de Deus.

CONSTRUÇÃO INDESTRUTÍVEL

Toda construção sem projeto é perigosa, insegura e sem garantias. O casamento é um projeto de Deus e, quando construído de acordo com o que ele planejou, o resultado final é alegria, segurança e bênção.

Ninguém melhor do que o projetista para dizer como deve ser a construção. Como autor do projeto do casamento, Deus pode ensinar como devemos construir uma relação cheia de vida e alegria. Os princípios que determinam o sucesso da construção do nosso projeto de vida estão no Sermão do Monte (Mt 5—7), inclusive no que se refere a relacionamentos.

O primeiro passo para construir uma família indestrutível é *ouvir*. Esse é o segredo do sucesso de qualquer relacionamento, a capacidade de ouvir. Quando alguém é incapaz de ouvir a Palavra, nem sua oração faz sentido para Deus (Pv 28.9). Ouvir é imprescindível porque é ouvindo que a fé é gerada no coração, e não há projeto de construção segura sem fé (Rm 10.18). É impossível aprender sem que haja humildade para ouvir. Jesus disse: "Deixem que eu lhes ensine..." (Mt 11.29).

O segundo passo é *praticar* o que ouviu.

> Quem ouve minhas palavras e as pratica é tão sábio como a pessoa que constrói sua casa sobre uma rocha firme. Quando vierem as chuvas e as inundações, e os ventos castigarem a casa, ela não cairá, pois foi construída sobre rocha firme. Mas quem ouve meu ensino e não o pratica é tão tolo como a pessoa que constrói sua casa sobre a areia. Quando vierem as chuvas e as inundações e os ventos castigarem a casa, ela cairá com grande estrondo.
>
> MATEUS 7.24-27

Nessa passagem percebe-se que a grande diferença entre uma construção e outra está na prática. Os dois construtores ouvem, mas só o que pratica é que usa o melhor material na base. Praticar implica submeter-se ao Senhor do projeto (Mt 6.9-24). Também exige fazer tudo conforme o que foi projetado.

Jesus oferece os melhores materiais para a construção do nosso projeto de vida conjugal e familiar. São eles sensibilidade, humildade, justiça, misericórdia, transparência, pacificação e resistência alegre.

Sensibilidade (Mt 5.4). O piso. É a capacidade de chorar, de sentir e de se emocionar. Em qualquer área da vida, os caminhos acabam quando termina a capacidade de chorar e se arrepender. Quem perdeu o valor do choro e do arrependimento perdeu a oportunidade de ter novos caminhos para andar com segurança. O choro do arrependimento sincero leva à reconstrução daquilo que foi destruído.

Humildade (Mt 5.5). A pedra principal do alicerce. A humildade é a raiz que alimenta todas as outras virtudes. O humilde é desprendido de tudo e aberto a aprender sempre. Não se considera o dono da verdade. O melhor termômetro para medir a humildade no coração de uma pessoa é saber se ela tem prazer em ouvir e servir, mesmo quem não merece ser servido (Jo 13).

> *O melhor termômetro para medir a humildade no coração de uma pessoa é saber se ela tem prazer em ouvir e servir, mesmo quem não merece ser servido.*

Justiça (Mt 5.6). A coluna. A justiça é como a água para a nossa vida quando estamos com sede. É essencial. A justiça faz do humilde um ser com espírito nobre, em vez de um fraco. A justiça faz do quebrantado um ser digno. A justiça faz do manso um ser de coragem. É a justiça que empresta a estruturas aparentemente fracas um sentido de nobreza, de grandeza e de dignidade. Em qualquer área da nossa vida, a justiça tem de estar presente.

Misericórdia (Mt 5.7). Os tijolos. É impossível viver bem em família sem uma atitude de misericórdia solidária. É com misericórdia que se lida todos os dias com as ambiguidades e as incoerências do outro. O que fazer com um filho que não vai bem na escola? O que fazer com a filha que errou, mas quer melhorar? E com o cônjuge que está com dificuldade de ser o que Deus quer que ele seja?

Transparência (Mt 5.8). Cobertura. Coração puro, uma consciência limpa que pode nos dar a visão de Deus na família.

Pacificação (Mt 5.9). Cimento. É aquilo que mantém as coisas juntas. É a atitude do pacificador que nos dá a garantia de que o que está sendo construído não vai cair. Nossa vocação tem de ser a de alguém que trabalha para ligar corações, promovendo a reconciliação e a paz.

Resistência alegre (Mt 5.10-12). Portas e janelas. Jesus sabia que haveria perseguição por causa da justiça, por essa razão ele deseja, apesar de toda tempestade em volta, que se construa algo que tenha janelas abertas para o céu. Feliz é aquele que, apesar de tudo, consegue deixar as janelas e as portas abertas, que é capaz de demonstrar alegria e olhar para as coisas maiores do que uma eventual perda imediata.

OS CINCO PILARES QUE SUSTENTAM O CASAMENTO

Para que seja sólido, duradouro e feliz, um casamento precisa estar assentado sobre cinco colunas, que dão sustentação e firmeza ao relacionamento. Um casal que não conta com todas essas cinco posturas em sua forma de proceder necessita com urgência reformular suas atitudes, a fim de edificar a família e ter alicerces indestrutíveis. Esses cinco pilares são:

Fidelidade (Ct 4.12; 8.10; 1Co 7.2-5)

Não existe maior traição da confiança do que a infidelidade conjugal. Nesse sentido, é interessante compreendermos o que leva uma pessoa que jurou fidelidade no altar a quebrar seus votos. Existem muitas razões, estudadas pelos especialistas, para levar alguém a cometer adultério. Segundo o terapeuta americano Alert Ellis, existem causas neuróticas e causas não neuróticas para a traição.

As causas não neuróticas são a insatisfação sexual, associada à perda de atração pelo companheiro; a repressão do desejo, que faz as fantasias se multiplicarem; a excessiva absorção pelo trabalho, que pode produzir no outro uma sensação de rejeição e abandono; o tédio, que vem da rotina conjugal; extensos períodos de ausência; doenças de vários tipos; e até mesmo gestações sucessivas.

Já as causas neuróticas remetem a sete perfis de pessoas: os *mimados*, aqueles que acham que precisam de tudo o que desejam e, por isso, encaram caprichos temporários como necessidades básicas; os *narcisistas*, que se consideram irresistíveis e, por isso, têm uma necessidade constante de reconhecimento e admiração; os *fujões*, aquelas pessoas que fogem não apenas de si mesmas, mas da própria vida; os *imaturos*, que usam a infidelidade para provar sua masculinidade ou feminilidade; os *inseguros*, aqueles que se autodesvalorizam, não se respeitam e não têm autoestima; os *vazios*, gente que sofre de grande vazio existencial e se recusa a dar um sentido à própria vida; e os *vingativos*, pessoas que traem por vingança.

A fidelidade conjugal dá segurança ao casamento e garante a bênção de Deus na vida do casal. "Honrem o casamento e mantenham pura a união conjugal, pois Deus certamente julgará os impuros e os adúlteros" (Hb 13.4).

Amizade (Ct 4.9-12; 5.1)

O relacionamento do casal só é sadio e equilibrado quando marido e mulher conseguem ser mais do que parceiros de cama. É fundamental que sejam amigos. Não basta ser fiel; é preciso ter uma amizade real e sincera. Quando a mulher não consegue ver o marido como seu melhor amigo, abre-se uma brecha e o casamento fica fragilizado. Muitos adultérios já aconteceram porque o cônjuge encontrou fora de casa alguém que lhe deu mais atenção, ouviu-o com mais interesse, mostrou-se mais sensível, tratou-o com mais respeito, foi mais amigo.

É perigoso quando não há amizade entre o casal na perspectiva do tratamento. Por que muitos casamentos se transformam em prisão? Por que, de repente, os cônjuges se sentem escravizados, presos, subjugados? Isso acontece em algumas circunstâncias, como quando há um sentimento de posse do outro; quando há rejeição da própria individualidade; quando a grande preocupação é manter as aparências, sem ajustes reais; quando cada um faz o seu papel sem se preocupar em ajudar o outro; quando a felicidade absoluta é por coerção, e não por livre escolha; e quando há um exclusivismo total, aquela ideia de que, ficando dia e noite juntos, o casamento será preservado.

A pergunta sobre a qual se deve refletir é: "Estou construindo uma prisão ou um lugar de liberdade, onde há respeito, direitos e responsabilidades e os dois são livres para crescer juntos?".

Santidade (Ct 2.14; 5.2; 6.9)

Fidelidade e amizade têm de desembocar em santidade. Na relação de casal, onde reina o Senhor, é impossível não haver santificação. Quando Paulo escreve aos efésios, convocando-os a olhar para a relação de Cristo e a igreja como modelo de um relacionamento ideal, ele inclui o conceito de santidade: "Maridos, ame cada um a sua esposa, como Cristo amou a igreja. Ele entregou a vida por ela, a fim de torná-la santa, purificando-a ao lavá-la com água por meio da palavra. Assim o fez para apresentá-la a si mesmo como igreja gloriosa, sem mancha, ruga ou qualquer outro defeito, mas santa e sem culpa" (Ef 5.25-27).

Em sua teologia sobre o casamento, Paulo entendia que o marido é o sacerdote que deve levar a esposa a viver uma vida de santidade por meio da Palavra. Feliz é a esposa que tem um marido que se preocupa com sua vida de comunhão com Deus. A Palavra é essencial nesse processo de santificação do casal (Jo 15.3). Se muitos maridos se preocupassem com a vida espiritual da esposa como se preocupam com a beleza estética dela, com certeza os casais seriam mais felizes e teriam relacionamentos mais saudáveis. É interessante que, em alguns casos, a mulher é quem cuida da santificação e da espiritualidade do marido, quando deveria ser o contrário.

Apreciação (Ct 4.1; 5.10; 6.3)

Não basta desejar o outro; é preciso apreciar, honrar e reconhecer. O amor faz o comum tornar-se extraordinário. O casamento floresce quando existe apreciação mútua, quando os dois se admiram e não têm medo de fazê-lo publicamente, à semelhança do marido de Provérbios 31.29 que diz: "Há muitas mulheres virtuosas neste mundo, mas você supera todas elas!".

Apreciar o cônjuge é investir na sua autoestima. Palavras de afirmação têm o poder de fazer o outro crescer em autoimagem. Se os cônjuges elogiassem mais e criticassem menos, com certeza a qualidade do relacionamento seria muito melhor.

Submissão devocional (Ct 1.4)

O que é mais difícil: o marido amar sacrificialmente a esposa, como Cristo amou e ama a igreja, ou a esposa submeter-se ao marido como a igreja se submete a Cristo? Quando a mulher compreende o que significa submissão à luz da Bíblia, ela não tem dificuldade em exercer sua missão como auxiliadora.

Por outro lado, muitas não cumprem o seu papel como deveriam, porque os maridos erram na sua maneira de agir e se comportar, o que desmotiva, bloqueia e inibe essas mulheres.

Quando o homem busca ser para a esposa o que Cristo é para a igreja, ela é inspirada e motivada a exercer sua missão de apoio com alegria (Ef 5.22-29). Essa submissão devocional não escraviza, não anula a mulher na sua individualidade e não a faz sentir-se diminuída; pelo contrário, a realiza como esposa.

E SE VIER A CRISE?

A construção de um relacionamento se dá de modo especial quando chega a crise. É hora de testar a solidez da relação, de aprender, crescer, repensar, fortalecer. Muitos fatores podem desencadear uma crise no relacionamento do casal, como uma gravidez não planejada, a morte de um filho, o desequilíbrio financeiro, a impotência sexual do marido ou a frigidez da mulher, o nascimento do primeiro filho, a necessidade de acolher os pais em casa, doenças, um acidente que aleijou um dos cônjuges, um filho que assume o comportamento homossexual, um filho que se envolve com drogas, uma filha que engravida do namorado, a mudança de casa e de cidade contra a vontade de um dos cônjuges, a necessidade de acolher um irmão, entre outros.

É difícil o casamento que não enfrenta uma crise ao longo de seus muitos anos de duração. Sabendo disso, é importante ter em mente que toda crise oferece a oportunidade para que o casal chegue ao final dela muito mais fortalecido. Em nenhum momento Jesus disse que o fato de edificarmos sobre fundamento sólido, com material de primeira e de acordo com o projeto original, evitaria problemas. Ele afirmou que o vento sopraria, a chuva cairia torrencialmente e haveria combate contra a casa. Jesus não prometeu livrar ninguém dos problemas, mas sim *nos* problemas. Deus não livrou Daniel da cova, mas o livrou *na* cova. Problemas existem, mas podem ser superados.

Saiba que o casamento é o único jogo em que os dois podem ganhar. Para viver isso, enfatize os sentimentos positivos e não dê muita atenção aos negativos. Focalize as qualidades do companheiro. Além disso, é indispensável manter os canais de comunicação abertos, para que, nos momentos de turbulência, o casal converse muito, dialogue e discuta de modo construtivo acerca dos problemas.

Jesus não prometeu livrar ninguém dos problemas, mas sim nos problemas. Deus não livrou Daniel da cova, mas o livrou na cova.

Também é importante evitar a todo custo que o passado seja o combustível que alimente a crise e a torne mais intensa e prolongada. Podemos até nos lembrar do passado, a fim de recapitular as lições aprendidas, mas é necessário tirar o foco do que passou e colocá-lo no futuro. Se tiver dificuldades e não souber como proceder, mantenha-se aberto para receber ajuda e aprender com outras pessoas. Sempre haverá gente com mais experiência, que poderá ajudar — um membro da família, um irmão em Cristo, um amigo ou alguém da liderança da igreja com gabarito para atuar na área de aconselhamento.

Lute contra a tempestade tendo por motivação aquilo que gera esperança. Lembre-se de que a crise é mais do que apenas um problema; é um catalisador de forças para quebrar velhos padrões, evocar novas reações e determinar novas direções e novos inícios.

> Também nos alegramos ao enfrentar dificuldades e provações, pois sabemos que contribuem para desenvolvermos perseverança, e a perseverança produz caráter aprovado, e o caráter aprovado

> fortalece nossa esperança, e essa esperança não nos decepcionará, pois sabemos quanto Deus nos ama, uma vez que ele nos deu o Espírito Santo para nos encher o coração com seu amor.
>
> ROMANOS 5.3-5

Em meio à crise, mais do que nunca seja sensível à presença de Deus. Este é um recurso espiritual muito poderoso. Concordo quando alguém diz que sua razão para a esperança e sua fé em Deus lhe dão um senso de propósito e força, pois a percepção da presença de Deus nos torna mais pacientes e perdoadores, nos leva a vencer mais depressa a raiva, a ser mais positivos e a apoiar mais um ao outro. Devemos lutar conscientes de que as promessas de Deus não morrem. Morrem os profetas, mas Deus é fiel no que prometeu. Quem tem promessas possui razões para ter esperança (Sl 46.1; Sl 23; Hb 13.5; 6.18-19).

Além disso, faça uma leitura positiva da crise. Paulo nos ensina sobre isso quando diz que devemos nos alegrar ao enfrentar dificuldades e provações. Portanto, faça da crise uma oportunidade para o Espírito Santo desenvolver em você o seu fruto (Gl 5.22), uma vez que os problemas podem adubar o terreno do nosso coração para a produção do fruto do Espírito.

Na área das emoções, você deve administrar a crise com inteligência emocional, isto é, pondo a razão na frente da emoção. Olhe para o casamento e suas dificuldades como ferramenta de Deus para libertar você de si mesmo, pois essa é uma das maiores vitórias de Deus em nossa vida. O maior problema do homem é o próprio homem.

Por fim, lembre-se de que é na crise que se mede a profundidade de caráter, uma vez que os problemas e as tensões revelam quem verdadeiramente somos. É na crise que mostramos ao diabo que servimos a Deus por quem ele é, e não por aquilo que nos dá, assim como Jó disse: "Aceitaremos da mão de Deus apenas as coisas boas e nunca o mal?" (Jó 2.10).

O escritor Ernest Hemingway afirmou: "A vida nos quebra a todos e depois muitos ficam mais fortes nos lugares quebrados". É uma grande verdade. Enquanto muitos casamentos fracassam depois de uma crise, os cônjuges que sobrevivem a catástrofes frequentemente reconhecem, ao olhar para trás, que passaram a viver mais fortes e mais de acordo com a Bíblia.

3

SOLIDIFICAÇÃO

Vivemos dias difíceis para a família cristã. Muitos são os desafios, dentre eles o divórcio e a banalização do casamento. De acordo com o Instituto Brasileiro de Geografia e Estatística (IBGE), em um ano foram concretizados no Brasil mais de 150 mil divórcios formais. Isso significa que, para cada quatro casamentos, um termina em divórcio.

Os países onde mais ocorrem separações são Estados Unidos, Dinamarca e Bélgica. Só nos Estados Unidos, 60% dos casamentos terminam em divórcio. Na Inglaterra, 40%. No Brasil, o tempo médio de duração de um casamento não passa de treze anos. A maior parte dos casais se separa nos primeiros dois anos de casados. Para que tenhamos uma compreensão melhor de como o casamento está sendo banalizado, precisamos ouvir as explicações que as pessoas dão para o divórcio, que vão do ciúme doentio do cônjuge a dificuldades de convivência, passando por "fim do amor", disparidades profissionais, traições, temperamento autoritário, influência dos parentes e matrimônios realizados em idade precoce.

Diante de tantas justificativas que revelam a falta de compromisso sério com o casamento como instituição divina, algumas perguntas precisam ser respondidas: Por que bons casamentos fracassam? É possível permanecer casado e feliz? Como Deus vê o casamento? A Bíblia Sagrada diz: "Por isso o homem deixa pai e mãe e se une à sua mulher, e os dois se tornam um só" (Gn 2.24). A maioria das pessoas não compreende a profundidade da expressão "se une". Em hebraico, ela significa juntar, afeiçoar, colar, soldar, fundir, conectar uma parte à outra. Se quiser compreender melhor o que é casamento na perspectiva do Eterno, pegue duas folhas, passe cola e depois as una. Após uma semana, tente descolá-las. Talvez você consiga, mas nenhuma das folhas ficará inteira. Assim acontece quando um casamento é rompido pelo divórcio, uma ação que rasga a alma. Não existe divórcio indolor, e as implicações de uma separação vão além do que o casal pode imaginar.

Vamos usar outra ilustração para ficar claro o que é o casamento. Pegue dois copos com água pela metade e um terceiro vazio. Agora despeje ao mesmo tempo a água dos dois copos, enchendo o terceiro, fazendo que a água se misture. Você tem agora um único copo cheio. Isto é casamento: quando os dois se esvaziam de si para se tornarem um só. Feito isto, tente separar a água do copo cheio, devolvendo-a para os dois copos que foram esvaziados. Impossível! Depois que a água se mistura, não é possível separar. É assim que Deus quer que você veja o casamento: um compromisso para toda a vida. Foi por isso que Jesus disse: "Uma vez que já não são dois, mas um só, que ninguém separe o que Deus uniu" (Mt 19.6).

As Escrituras deixam claro: "Portanto, guardem seu coração; permaneçam fiéis à esposa de sua mocidade. 'Pois eu odeio o divórcio', diz o SENHOR, o Deus de Israel. 'Divorciar-se de sua esposa é cobri-la de crueldade', diz o SENHOR dos Exércitos. 'Portanto, guardem seu coração; não sejam infiéis'" (Ml 2.15-16). Deus odeia o divórcio porque ele é uma guerra em que alguns saem feridos, outros mortos e todos com prejuízos; porque o divórcio é um terremoto que desinstala, desagrega, traumatiza, machuca e deixa um rastro de destruição que marca pessoas para toda a vida; e porque o divórcio é a apostasia do amor.

Deus odeia o divórcio porque ele é uma guerra em que alguns saem feridos, outros mortos e todos com prejuízos; porque o divórcio é um terremoto [...] e porque o divórcio é a apostasia do amor.

Quando Deus pensou no casamento, idealizou um relacionamento que durasse por toda a vida, cujo fundamento seria o amor sacrificial. Como pai, procuro dizer aos meus filhos: "Não brinquem com o casamento". Os nossos jovens precisam viver com esta consciência: o matrimônio não é um projeto de vida para seis meses, um ano, nem dez. É uma aliança para toda a vida, "até que a morte os separe". Infelizmente, muitos casais se precipitam em sua decisão, sem refletir nas implicações muito sérias de um divórcio. Toda separação gera traumas na alma dos envolvidos, o que abre brechas que facilitam a ação do inimigo para deprimir as pessoas.

A maioria dos jovens se pergunta como pode saber se o seu casamento dará certo. É comum cogitarem o que devem fazer para seu casamento ser bem-sucedido e que erros não devem cometer. A resposta para estas perguntas está nas três definições de casamento que vamos explorar a seguir. Casamento é uma sociedade, uma viagem e um espaço para o crescimento.

CASAMENTO É UMA SOCIEDADE

Quando duas pessoas decidem se casar, estão aceitando novos limites quanto à própria independência, pois não mais poderão manter um estilo de vida despreocupado. Como conselheiro, é comum eu ouvir no gabinete pastoral a mulher ou o homem dizer: "Meu cônjuge se casou, mas vive como se fosse solteiro".

A Bíblia deixa claro: "Por isso o homem deixa pai e mãe e se une à sua mulher, e os dois se tornam um só" (Gn 2.24). Fica claro que a união conjugal não se limita ao encontro dos órgãos genitais. É uma união que transcende o aspecto físico. O matrimônio é, na realidade, uma sociedade plena em todas as áreas da vida. Isso implica pelo menos três pontes vitais para o casamento: dependência, compromisso e prestação de contas.

Dependência

Paulo escreveu: "Sujeitem-se uns aos outros por temor a Cristo" (Ef 5.21). Isso fala de interdependência. Não há possibilidade alguma de duas pessoas se casarem e praticarem um estilo de vida "cada um por si e Deus por todos". O relacionamento conjugal é um trabalho em equipe, em que um depende do outro. Sem essa compreensão, o casal não consegue construir um projeto de vida que realmente valha a pena.

O marido deve suprir as deficiências da esposa e a esposa deve cobrir a área em que o marido tiver maior dificuldade. A metáfora do corpo é extraordinária, porque, se o olho enxerga, não pode se considerar autossuficiente, uma vez que não tem a habilidade das mãos para pegar, agarrar e vice-versa: um depende do outro.

O sábio Salomão escreveu: "É melhor serem dois que um" (Ec 4.9). Gosto do pensamento que diz que sozinha a pessoa vai mais rápido, porém não tão longe. Acompanhada, sua velocidade é menor, mas ela vai muito mais longe.

Compromisso

Casar é se comprometer com os sonhos, o futuro e a vida do cônjuge. Assumir um compromisso é empenhar-se e arriscar-se. Uma das razões de alguns casamentos desmoronarem diante do primeiro vendaval é porque não há profundidade no compromisso que assumiram mutuamente no altar. Sem comprometimento sério, o relacionamento será sempre uma construção vulnerável fadada ao fracasso. Esse comprometimento exige renúncia, lealdade, fidelidade e entrega.

Prestação de contas

A prestação de contas é um muro de proteção que o casal levanta em torno do casamento. Curiosamente, trata-se de uma prática cada vez menos em uso entre os casais. Quando ministro palestras para os jovens, procuro dar muita ênfase neste ponto do relacionamento conjugal, porque isso tem sido causa de crise em muitos casamentos. Compreender a importância de prestar contas dentro do casamento é fundamental para o sucesso dessa sociedade.

Pessoas que não gostam de dar explicações, prestar contas, responder a perguntas difíceis sobre os seus atos e assim por diante não devem se casar. É preferível adotar um cachorro, pois cães não pedem explicações para ninguém. Se você é casado, lembre-se de que não se casou com um animal de estimação, mas sim com uma pessoa, imagem e semelhança de

Deus, que merece ser tratada com dignidade e respeito. Seu cônjuge é o seu sócio e, dentro de uma sociedade, um deve explicações ao outro.

Prestar contas é ter coragem de responder com humildade e transparência a perguntas difíceis sobre os nossos atos. Quando a Bíblia diz que é melhor serem dois do que um é porque a formação de uma sociedade pode resultar em melhor resultado e melhor rendimento. Lembre-se: casamento é um grande negócio, que pode ser "lucrativo" ou não.

Responda com sinceridade: seu casamento dá mais "lucro" ou "prejuízo"? Suponhamos que você forme uma sociedade, a fim de gerir um grande negócio. Com o passar do tempo, seu sócio começa a comprar, vender e negociar sem lhe dar satisfação. Ao mesmo tempo, você passa a fazer a mesma coisa. Será que essa empresa fará progressos? Terá ela vida longa? A resposta é evidente. Nenhuma empresa vinga, cresce, progride ou dá lucro quando cada sócio faz o que deseja sem prestar contas. A mesma coisa acontece com muitos casamentos que não florescem e os dois só contabilizam prejuízos. Prestar contas é um princípio determinante para o sucesso de qualquer casamento.

Prestar contas é um princípio determinante para o sucesso de qualquer casamento.

Negligenciar esse princípio é investir contra o sucesso na vida a dois. A Bíblia fala de prestação de contas: "Obedeçam a seus líderes e façam o que disserem. O trabalho deles é cuidar de sua alma, e disso prestarão contas" (Hb 13.17). Os homens de Deus nas Escrituras prestavam contas aos seus mentores: Ló prestava contas a Abraão, José prestava contas ao faraó, Josué prestava contas a Moisés, Eliseu prestava contas a Elias, Davi prestava contas a Natã.

Quais são os benefícios da prestação de contas? Primeiro, isso dificulta que cedamos à tentação de praticar algo que leve ao erro. Toda pessoa que presta contas regularmente vive de forma cautelosa. Se o cônjuge é sócio, então pode perguntar sem receio: "Está comprando o que e por quê? Quanto vai pagar por isso? Como vai pagar?". E se ele entender que não é a melhor hora para fazer a compra, deve ter a liberdade de dizer: "Na minha opinião, não é a melhor hora para comprar". A esposa pode ajudar muito o marido, porque as mulheres possuem um senso de percepção aguçado e a capacidade de perceber insinuações não verbais que os homens, em geral, não enxergam. Às vezes, estamos empolgados com um negócio e a esposa está ao lado, observando tudo; se ela, ao chegar em casa, disser que não gostou de uma expressão que ouviu na conversa, fique atento: essa observação pode livrar o casal de um grande prejuízo. Quando a mulher diz que "está sentindo" alguma coisa, é hora de repensar e tomar muito cuidado! Ela costuma estar sempre atenta a tudo.

O segundo benefício da prestação de contas é que isso evita que encubramos o pecado. Quando você presta contas, mantém o coração limpo na presença de Deus e dos homens. Se essa fosse uma prática mais comum entre os casais, com certeza teríamos menos casos extraconjugais e casamentos em processos de falência. O grande desafio para homens e mulheres casados é vencer a tentação no dia a dia. Lembre-se: o melhor momento para vencer a tentação é quando ela começa. Se a pessoa tentada der corda e flertar com o pecado, com certeza chegará a um ponto em que já não será mais possível enxergar a porta de saída, pois estará cega, e aí mora o perigo. Responda com sinceridade: você sempre procura abrir o coração para seu cônjuge quando está passando por um momento de tentação? Entre vocês há cumplicidade e compromisso radical com a verdade?

Além disso, prestar contas é poder contar com o apoio de pessoas que agregam valor à vida, e a pessoa mais importante nessa prática é o seu cônjuge. Prestar contas evita que façamos negócios que podem resultar em grandes prejuízos. Não há como fugir desta verdade: casamento é uma sociedade, e o sucesso dessa sociedade depende de quanto os dois estão dispostos a prestar contas um ao outro. A prestação de contas é um muro de proteção que o casal levanta ao redor do coração, do casamento e da família.

CASAMENTO É UMA VIAGEM

O casamento é uma viagem longa, que pode durar um ano, dez, cinquenta ou setenta anos. A despeito da longevidade do relacionamento, o sucesso dessa viagem depende de planejamento, investimento e manutenção. Sem uma dessas posturas, a viagem será bem complicada e corre o risco de chegar ao fim antes da hora.

Planejamento

Planejamento é um dos conceitos principais para quem quer ter sucesso na vida em todas as áreas. Quando não há planejamento, pode ocorrer o mesmo que aconteceu na festa de casamento a que Jesus compareceu na cidade de Caná, quando, inesperadamente, acabou o vinho. Jesus, então, providenciou mais vinho por meio do milagre de transformação da água (Jo 2).

É possível que o vinho tenha acabado antes da hora por falta de planejamento. Planejar é pensar de forma antecipada.

Por que nem sempre somos bem-sucedidos naquilo que fazemos? Uma das causas é porque não planejamos. A maioria das pessoas não tem o cuidado de planejar um dia, uma semana, um mês, um ano, quanto mais dez ou vinte anos.

Investimento

Quanto mais longa for a viagem, maior deverá ser o investimento a ser feito. Todo ano eu e minha família tiramos férias e, de preferência, em um lugar a que nunca fomos. Quando viajamos a Porto de Galinhas (PE), foi necessário fazer uma reserva antecipada de recursos financeiros para que aquela viagem acontecesse da forma mais prazerosa possível para toda a família.

Alguns casais acham que férias são gastos desnecessários, que alimentar-se de forma adequada é bobagem, que investir na educação dos filhos é besteira. Muitos confundem gastos com investimento e investimento com gastos. Onde você quer chegar com o seu casamento e sua família? Quais são os seus alvos, objetivos, sonhos? Lembre-se: sem investimento, ninguém alcança objetivos elevados na vida. Pessoas mesquinhas não vivem como poderiam viver. A pior pobreza não é aquela que tem a ver com dinheiro ou bens materiais, mas sim a de mentalidade.

Manutenção

O casamento, como qualquer outra coisa na vida, precisa de manutenção. Sempre que programamos uma viagem longa com a família, a primeira preocupação é com o carro, que levamos para fazer uma revisão completa. Tudo precisa estar em ordem, para não termos problemas no caminho.

Manutenção tem a ver com o estado de conservação. Ouvi falar de um senhor que cuidou tão bem do motor de seu carro que aquela máquina rodou mais de quinhentos mil quilômetros. Os diretores da fábrica que produzia aquele automóvel, ao ficarem sabendo, resolveram premiar aquele homem com um carro novo. Tudo aquilo que é bem cuidado tem vida útil longa — e com o casamento não é diferente.

O casal deve, vez ou outra, parar para verificar como está o casamento, analisando o que precisa ser ajustado, renovado, corrigido, recarregado. É por isso que as igrejas promovem encontros de casais com Cristo, palestras, congresso e reuniões em casas, que são oportunidades para os cônjuges fazerem a manutenção necessária. Os casais que não negligenciam esse aspecto do casamento com certeza terão um matrimônio sempre renovado e feliz.

CASAMENTO É UM ESPAÇO PARA CRESCIMENTO

É comum ouvirmos pessoas dizerem que o casamento não lhes fez bem, pois, em vez de crescerem, acabaram regredindo. Fazem afirmações como: "Eu era uma pessoa mais doce quando solteira; hoje sou amarga", "Em vez de ter a minha visão ampliada, estou enxergando menos que antes", "O casamento não me fez bem, pois antes eu lia um livro por semana e agora não leio nem a bula do remédio que tomo". O que pode ter acontecido?

Entenda que você é resultado das escolhas que faz. O diabo, o cônjuge ou seus filhos não podem decidir por você. Se você quer, a partir de hoje, experimentar um crescimento dentro do casamento e da família, com um progresso que nunca experimentou, é necessário começar vencendo o conformismo, o comodismo e a preguiça, porque esses são os grandes obstáculos que impedem o crescimento em todas as áreas da vida.

Por que paramos de crescer? Há pessoas que, depois de terem alcançado um nível de respeitabilidade, acham que não precisam continuar crescendo além daquilo que já alcançaram, por isso não ouvem mais ninguém. A professora Marlene Guerrato, em uma palestra intitulada *Educando filhos à maneira de Deus*, disse: "Quem não se senta para ouvir, não se levante para falar". Há um pensamento de Ray Croc, idealizador das lanchonetes McDonald's, que diz: "Se você se acha tão maduro a ponto de não ouvir mais para continuar aprendendo e crescendo, o seu próximo estágio é apodrecer". Nunca pare de crescer! O casamento e a família têm de ser este solo fértil para você evoluir. Marido e mulher devem crescer em todas as áreas da vida dentro do casamento. O desenvolvimento pessoal não é uma opção, mas uma necessidade vital. E isso por três razões.

Nunca pare de crescer! O casamento e a família têm de ser este solo fértil para você evoluir. Marido e mulher devem crescer em todas as áreas da vida dentro do casamento. O desenvolvimento pessoal não é uma opção, mas uma necessidade vital.

Primeiro, porque dons sem crescimento conduzem à ineficácia. Deus não lhe deu talentos e habilidade por acaso, mas para que você cresça. Segundo, porque o crescimento previne a estagnação pessoal. E terceiro, porque o seu crescimento produz impacto na vida de outras pessoas. Meu filho olha pra mim e tem de ser inspirado pelo meu crescimento. Nunca é tarde para experimentar o melhor de Deus em sua vida!

A história de Abraão nos ensina muito sobre isso. Ele tinha 75 anos quando saiu de Harã por aceitar o desafio de começar uma grande mudança. Para ter noção de quanto Abraão cresceu, progrediu e se desenvolveu, basta ver o lugar que ele ocupa hoje nas três maiores religiões do planeta: judaica, cristã e muçulmana. Todas reverenciam esse homem, que foi chamado na Bíblia de "amigo de Deus". O sucesso dele nos motiva a continuar crendo em tudo que está na Palavra. Deus é fiel para cumprir o que diz; basta fazermos a nossa parte.

Nesse sentido, devemos sempre lembrar que mudanças fazem parte do crescimento. Deus disse a Abraão: "Deixe sua terra natal..." (Gn 12.1). Deixar algo é mudar, abrir mão, abandonar o lugar de conforto, buscar algo novo. Você quer crescer? Deixe a terra da mediocridade, da pequenez, da insignificância. Quando lemos a história do povo de Israel, percebemos que não foi difícil Deus tirar o povo do Egito; difícil foi tirar do povo a mentalidade de escravo. Tudo em nossa vida está relacionado à forma de pensar. Não há crescimento sem a predisposição à mudança. E, para crescer, muitas vezes é necessário quebrar paradigmas e vencer conceitos errados preconcebidos. Não há crescimento sem mudança de mentalidade. Antes de sair geograficamente é preciso mudar a mentalidade.

Se você não está entendendo o que está acontecendo em sua vida, não se preocupe; apenas diga: eis-me aqui, Senhor! Você está disposto a fazer mudanças? Não há crescimento sem renúncia. Não há crescimento sem dor. Certa vez, minha esposa levou nosso filho Douglas ao hospital, porque ele estava sentindo dores nos ossos. Quando o médico fez um exame completo, disse para minha esposa: "Fique em paz, mãe. Ele só está crescendo. Essas são dores do crescimento". Está doendo? Descanse o seu coração, pois dor faz parte do crescimento.

A história de Ana, a mulher que era estéril e queria um filho, nos ensina uma lição muito interessante de crescimento (1Sm 1). Você sabe por que Ana foi mãe de Samuel, que nasceu como resultado de um milagre e se tornou um dos maiores profetas na galeria dos homens de Deus na Bíblia? Porque havia uma mulher que a provocava e a perseguia. Deus permitiu que Penina fosse uma pedra no caminho de Ana para que ela buscasse o extraordinário. Isso tinha a ver com crescimento. Muitas vezes, para crescermos Deus permite que pessoas nos persigam.

Provocações podem desencadear um processo de crescimento impressionante, porque nos tiram do conformismo. É com uma Penina irritando, perseguindo e provocando que sonhamos com um milagre, com projetos proféticos, com coisas grandes da parte de Deus. Quando você não é provocado, a tendência é se acomodar. Ana não parou de sonhar, porque tinha alguém que a provocava todos os dias. Sem desafios, você não cresce. Se dez pessoas lhe dizem que você está gordo, é hora de fazer uma autoavaliação, parar um pouco mais diante do espelho e tomar a decisão de mudar e se esforçar para emagrecer. Não amaldiçoe a sua Penina; ela pode ser um agente pedagógico de Deus para lhe ensinar lições de crescimento.

Entenda: não existe crescimento sem mudança, renúncia ou dor. Se Abraão se deixasse dominar pelo medo, nós não estaríamos falando dele hoje. Para deixar sua terra, mudar e ir mais além, foi preciso fé e coragem! Sucesso é para quem não tem medo de assumir o risco do fracasso! Coragem não é ausência de medo; é a superação do medo. Se o medo dominá-lo, sua vida será marcada pelo fracasso. O medo é limitador do crescimento. Não tema. Vá em frente e mude no que for preciso.

4

RELAÇÃO

Algumas posturas são imprescindíveis para que um casamento funcione com a solidez necessária no intuito de torná-lo indestrutível. São posturas que se escoram em elementos indispensáveis no que se refere à relação entre marido e mulher: transformações, vigilância, valorização, respeito, tradições e limites. Neste capítulo, veremos de forma mais aprofundada como tais elementos ajudam a alicerçar as relações familiares, para deixá-la firme e capaz de vencer todo e qualquer vendaval da vida.

TRANSFORMAÇÕES

O desejo de ser transformado em alguém diferente é uma grande prova de amor. Transformar algo em nós é sempre um grande desafio, porque mexe em áreas em que, na maioria das vezes, não queremos que ninguém toque. A pergunta-chave quando refletimos sobre este tema é: "Por que relutamos tanto em sermos transformados?". Para que haja transformação verdadeira, é necessário reconhecimento (autocrítica), renúncia, perseverança, disciplina e coragem. E tudo isso só é possível se houver humildade. O casamento em si já exige transformações significativas, porque não há como manter um relacionamento a dois de forma séria vivendo como uma pessoa solteira.

Quando você se transforma, o ambiente ao seu redor também é transformado, a qualidade do seu relacionamento aumenta e sua vida influencia outros a se transformarem também. As transformações cessam quando você deixa de aprender. É impossível crescer sem se transformar.

Muitos maridos e esposas não mudam o seu jeito de ser principalmente por causa do orgulho. Porém, se você ama seu cônjuge, os filhos e a família, é indispensável estar aberto a transformações. Uma das maiores provas de amor que alguém pode dar ao cônjuge é o desejo sincero de ser transformado naquilo que é necessário.

Certo dia, em um seminário sobre família, ouvi de um senhor casado a seguinte frase: "Como marido e pai eu sou nota dez. Vim aqui apenas para acompanhar minha esposa". Ao ouvir aquela autoavaliação, peguei um questionário que costumo usar e que trata exatamente sobre *O perfil do marido ideal*, e pedi a ele que respondesse às trinta perguntas. Disse-lhe que, se ele tirasse nota oito ou maior, estaria liberado para ficar na piscina do hotel e não mais precisaria assistir a nenhuma palestra. Quando ele terminou de preencher tudo, conferiu a pontuação, veio até mim e disse: "Pastor, o senhor precisa orar por mim. Tirei nota três!". Todos estamos em processo de cura e de libertação. Ninguém pode dizer: "Eu não preciso melhorar em nenhuma área".

O primeiro passo para empreender transformações individuais é reconhecer a área em que precisamos ser transformados.

Minha esposa, Rousemary, e eu aprendemos logo no início da caminhada conjugal que o segredo para construir um casamento duradouro e feliz é manter-se aberto às transformações.

Quando uma pessoa se casa, ela acaba levando consigo hábitos negativos, traumas da infância e vícios, além de uma bagagem emocional e espiritual adquirida e desenvolvida na família de origem. Nesse pacote que cada um traz da casa dos pais, muita coisa boa deve ser preservada, mas as ruins precisam ser eliminadas. Isso faz parte do processo de libertação. A forma como você foi criado no núcleo familiar de origem — sua referência paterna e materna — acabou moldando sua maneira de pensar e agir. Se a família de origem era disfuncional e o padrão que se tinha para seguir era ruim, isso foi internalizado como valores que determinam o comportamento. Eis a razão por que no casamento ambos os cônjuges têm de substituir o que foi aprendido de forma "errada" por aquilo que é considerado certo, justo e honesto. O comportamento e o estilo de vida de uma pessoa só são transformados quando há mudança de mentalidade. Tudo começa pela forma como pensamos.

O comportamento e o estilo de vida de uma pessoa só são transformados quando há mudança de mentalidade. Tudo começa pela forma como pensamos.

Não há nenhum homem ou mulher que possa dizer: "Eu me casei com uma pessoa completamente liberta, curada e perfeita". O casamento é a união de duas pessoas pecadoras, limitadas e cheias de imperfeições. Sabemos que, durante o namoro, o período de noivado e o início do casamento, o casal vive um tipo de amor-sonho. Os dois não enxergam a realidade, mas cada um projeta no outro aquilo que idealizou como parceiro ideal. Quando profiro minhas palestras, costumo dizer aos casais que todo quadro a distância é perfeito, mas, ao nos aproximarmos dele, percebemos imperfeições na obra do artista.

O casamento traz à tona aquilo que, a distância, estava escondido. Na proporção em que cresce a intimidade entre o casal, surgem os defeitos, as manias e os hábitos negativos. Quando isso acontece, é imprescindível a participação mútua no processo de libertação e cura. Por isso, permita que o cônjuge seja o seu espelho.

Para que haja uma compreensão melhor do que significa ser um espelho para o companheiro, vamos imaginar uma situação. Dois casais estão conversando em um restaurante e um dos maridos está gripado. De repente, ele espirra e, sem perceber, sai uma meleca do nariz direto para o bigode. A conversa continua e o casal que está sentado em frente vê a meleca mas não fala nada, por uma questão de educação. Todos viam a meleca, menos o seu dono. De repente, a esposa percebe e logo toma uma atitude para solucionar o problema: tira da bolsa um lenço de papel, pede licença ao marido e, delicadamente, limpa a sujeira. Só então o homem percebe que estava com o bigode melecado. Usando essa ilustração, questione-se: "Qual é a meleca em meu comportamento que todos enxergam, menos eu? O que há de errado em mim que só eu não consigo perceber?". A verdade é que, sem o auxílio do cônjuge, não conseguimos enxergar muitas coisas negativas que precisam ser corrigidas. Sem essa ajuda, não há crescimento, libertação e cura. Todos temos pontos cegos a ser tratados no relacionamento conjugal.

Certo dia, quando estávamos em família, conversando, minha esposa fez uma observação a meu respeito: "Quando viajo de carro com o Josué, chego com as pernas doloridas de tanto ficar tentando frear o carro junto com ele. Toda hora dá a impressão que nosso carro vai bater no da frente". Em tom de brincadeira, respondi: "Isso é perseguição de mulher, que não aceita que os homens dirigem melhor". O tempo passou e, num outro momento, com outras pessoas, minha sogra resolveu falar sobre a forma como eu dirigia. Ela disse: "Quando eu viajo com o Josué, chego em casa tensa e muito cansada". Diante disso, pensei: "Duas pessoas mostrando em mim a mesma 'meleca'. Vou fazer uma autoanálise e transformar minha forma de dirigir. Preciso melhorar". Confesso que não estou cem por cento como deveria, mas já melhorei bastante.

Quando mais de uma pessoa aponta em você um comportamento incômodo, que torna o relacionamento pesado, tenso e cansativo, a melhor coisa a fazer é se transformar. Não reconhecer isso é fazer a opção por uma vida marcada pela mediocridade. Uma das funções do cônjuge como agente de cura é ser o espelho que ajuda o outro a enxergar a "meleca" que ele não está vendo em si próprio. Você aceita com serenidade que seu cônjuge aponte aquilo que está errado em seu comportamento? Não é possível passar por mudanças significativas se não permitirmos que o cônjuge seja o nosso espelho.

Mudança de mentalidade e atitude

Todas as transformações na vida de uma pessoa começam na mente. Desenvolva uma mentalidade de excelência e suas atitudes mudarão; afinal, você é aquilo que pensa. Nesse sentido, é importante compreender com clareza o que é atitude.

Segundo os dicionários, é uma norma de proceder, ou um ponto de vista, em certas conjunturas; é uma disposição interior, uma maneira de enfrentar um problema; é uma afetação do comportamento. Quando se transforma a maneira de pensar, consequentemente as atitudes também são transformadas. Vamos refletir sobre algumas atitudes que precisam passar por esse processo de transformação.

Atitude positiva diante do que é negativo

Você já observou que as pessoas que pensam positivamente conseguem enxergar melhor que a maioria? Isso tem a ver com visão. Pessoas que têm visão conseguem olhar para o barro nas mãos do oleiro e enxergar o vaso pronto, acabado.

Já aquelas que pensam de forma negativa geralmente desistem com facilidade e não têm paciência para esperar. Isso porque só enxergam o barro, e não o vaso pronto. Pensar positivamente faz toda a diferença no seu relacionamento conjugal. Ninguém gosta de andar ao lado de uma pessoa que só pensa no pior e só enxerga as dificuldades, e nunca as possibilidades.

Atitudes de vencedor diante dos desafios

O que é pensar e agir como vencedor? Veja algumas atitudes de um verdadeiro vencedor:

- O vencedor acredita no seu potencial.
- O vencedor não desiste com facilidade.
- O vencedor se submete à dor da disciplina.
- O vencedor não se deixa dominar pelo desânimo.
- O vencedor é agradecido, mas nunca conformado. Sempre quer ir mais longe.

- O vencedor supera o medo com fé e determinação.
- O vencedor não tem apego ao lugar de conforto.
- O vencedor está sempre pronto para novos desafios.

Atitude de fé diante da desesperança

Ninguém consegue deter uma pessoa cheia de fé. A fé fez o pequeno Davi se tornar maior que o gigante Golias (1Sm 16—17). A fé fez três súditos do rei da Babilônia se tornarem indestrutíveis, mesmo sendo lançados em uma fornalha, pois eles não aceitaram trair o seu Deus (Dn 3). A fé fez uma mulher estéril ser mãe de filhos, por intervenção sobrenatural do Criador (1Sm 1). A fé fez água ser transformada em vinho só para a festa não parar (Jo 2).

Quando um casal tem a sua vida sustentada pela fé no Senhor Jesus, o lar passa a ser um lugar de intervenções divinas extraordinárias. A fé vence a desesperança! Lembre-se: sua casa deve ser sempre um lugar de esperança!

Atitude de amor diante do ódio

Quando o amor reina, não sobra espaço para o ódio. O amor supera a amargura, o ressentimento, o desejo de vingança e a inveja. É impossível ser dominado pelo amor e não ter um coração "perdoador". O amor leva ao perdão, e o perdão aniquila o ódio.

Atitude de graça diante das maldades

O significado da palavra *graça* é "favor imerecido". Quando um relacionamento é marcado pela graça, o casal pratica o princípio que o apóstolo Paulo ensina em Romanos: "Pelo contrário: 'Se seu inimigo estiver com fome, dê-lhe de comer;

se estiver com sede, dê-lhe de beber. Ao fazer isso, amontoará brasas vivas sobre a cabeça dele'. Não deixem que o mal os vença, mas vençam o mal praticando o bem" (Rm 12.20-21).

Quem trata as pessoas melhor do que elas merecem o faz movido pelo espírito da graça, e isso é o que mais está faltando no relacionamento dos casais hoje em dia. Marido e esposa precisam ter a mente de Cristo, pois, assim, a graça prevalecerá sempre.

Atitude de coragem diante dos perigos

O medo é um limitador que impede as pessoas de crescerem. Coragem, como já vimos, não é ausência de medo, mas a superação dele. A vitória sobre o medo começa na mente. O medo exagerado é uma evidência de que a mente não está sendo dirigida pelo Senhor.

O salmista escreveu: "Aquele que habita no abrigo do Altíssimo encontrará descanso à sombra do Todo-poderoso. [...] Ele o cobrirá com as suas penas e o abrigará sob as suas asas; a sua fidelidade é armadura e proteção. Não tenha medo dos terrores da noite, nem da flecha que voa durante o dia" (Sl 91.1,4-5). O medo gera ansiedade, insegurança e instabilidade; e esses sentimentos roubam-nos a paz.

Atitude de conciliação diante das intrigas

Num relacionamento conjugal, o marido e a esposa devem ser pacificadores, isto é, construtores de pontes que ligam corações. Se numa família um dos cônjuges cumpre o papel de pacificador, o processo de restauração do relacionamento nunca para.

Qual é o perfil de um construtor de pontes? Ele, o pacificador, nunca faz prejulgamentos; ele ouve com empatia, sempre responde com base em princípios, trabalha só com a verdade e usa apenas as armas do amor.

VIGILÂNCIA CONTRA O ADULTÉRIO

Qualquer pessoa dominada por uma paixão doentia age sem pensar nas consequências, que são muitas vezes irreparáveis. Lembra-se da história da esposa de Potifar, que tentou seduzir José (Gn 39)? O sentimento que nasceu e se desenvolveu na alma daquela mulher pode brotar e crescer dentro de qualquer pessoa, pois ninguém está livre dessa possibilidade. O alerta fica vermelho quando nos lembramos de que Davi, o homem segundo o coração de Deus (1Sm 12.14), fraquejou na vigilância contra o pecado e acabou tornando-se não só adúltero, mas homicida. Sim, todos estamos sujeitos a pecar, e precisamos manter vigilância máxima em todo tempo.

Quando tratamos de envolvimentos extraconjugais, a dúvida de muitos é como nasce esse sentimento que leva as pessoas a fazer todo tipo de loucura. Tudo pode começar com um simples flerte. Conheci uma jovem esposa que não estava vivendo um bom momento no casamento e se envolveu com um homem que morava no mesmo prédio que ela. Depois de alguns encontros extraconjugais às escondidas, ela percebeu que estava grávida do amante e não tinha como esconder do marido. Foi uma tragédia conjugal, com prejuízos irreparáveis. Tudo começou quando ela entrou no elevador do prédio onde morava e encontrou o rapaz galanteador.

Naquele dia, por alguma razão, ela tinha se preocupado um pouco mais em se arrumar. Cuidou do cabelo, vestiu uma roupa que a deixava mais sedutora, maquiou-se. Ao vê-la entrando no elevador, o rapaz a olhou de forma maliciosa e disse: "Como você está linda!". Ela sorriu, mas a maneira de como ela agradeceu o elogio deixou transparecer que havia gostado do galanteio e que seria bom ouvi-lo novamente. O rapaz, ao perceber que houve uma abertura e que ela estava vulnerável e receptiva, no outro dia telefonou para a jovem senhora, a fim de continuar o jogo de sedução que havia começado no elevador no dia anterior. Ela não apenas atendeu, mas também demonstrou que estava gostando de brincar na "zona de perigo". Os telefonemas se tornaram frequentes, as declarações apaixonadas tornaram-se explícitas, ele disse que desejava possuí-la e ela confessou que gostaria de ser possuída. Não demorou muito para que fossem para um motel, consumando o adultério que terminou em uma gravidez.

Lembre-se de que todo adultério começa com gestos, atitudes e palavras aparentemente inofensivos. Pessoas compromissadas, casadas e aliançadas devem estabelecer um limite no seu relacionamento com o sexo oposto e nunca brincar com aquilo que pode se tornar uma grande armadilha contra elas mesmas.

Observe como a maioria dos casos extraconjugais começa com muita sutileza. Bastou uma frase: "Como você está linda!". Foi por isso que Jesus disse: "Vigiem e orem para que não cedam à tentação, pois o espírito está disposto, mas a carne é fraca" (Mt 26.41). Lembre-se de que todo adultério começa com gestos, atitudes e palavras aparentemente inofensivos. Pessoas compromissadas, casadas e aliançadas devem estabelecer um limite no seu relacionamento com o sexo oposto e nunca brincar com aquilo que pode se tornar uma grande armadilha contra elas mesmas. É por essa razão que devemos com frequência fazer uma viagem ao nosso interior para verificar os movimentos da alma e supervisionar os caminhos que estão sendo construídos em nosso coração.

Quando o marido ou a esposa percebem que alguma pessoa está chamando muito a sua atenção e provocando constantes pensamentos de infidelidade, é necessário tomar uma atitude radical. Nas minhas palestras para casais sempre aconselho: "Busque ajuda antes que seja tarde demais". Ninguém vence sozinho. É necessário contar com o auxílio de pessoas que podem ser instrumentos de Deus em nosso favor.

Geralmente, quando esse envolvimento acontece, a sensação que a pessoa tem é de que já não ama mais o cônjuge como amava antes. Isso pode ocorrer na empresa, entre o diretor e a secretária ou entre colegas de trabalho; na faculdade, entre professor e aluna ou colegas de classe; na própria família, com a convivência de casais que costumam estar sempre juntos; na igreja, entre pastor e quem o assessora; entre pessoas do grupo de louvor; no consultório, entre médico e paciente ou dentista e paciente; na loja, entre vendedor e cliente, e em outras situações semelhantes. As circunstâncias em que o perigoso jogo da sedução pode acontecer são as mais diversas; ninguém está imune a essa possibilidade.

O que você deve fazer para vencer a tentação de se envolver com outra pessoa, evitando a destruição do seu relacionamento conjugal? Como se livrar de alguém que, de repente, começa a provocá-lo, como aconteceu com José, no Egito? Tome extremo cuidado com o excesso de autoconfiança. Nunca diga: "Comigo isso nunca vai acontecer". A autoconfiança foi a causa do fracasso de Pedro diante da tentação de negar a Jesus (Mt 26.33-34). Consciente de que ninguém está livre dessa possibilidade, devemos orar sempre: "Senhor, nunca deixe faltar temor em nosso coração e ensina-nos a viver com sabedoria e prudência".

Nunca brinque na "zona de perigo". A queda de Sansão é a história de um homem que brincou de flertar com o pecado (Jz 16.1-31). Todas as pessoas que cederam à tentação e praticaram o adultério cometeram o mesmo erro que ele, ou seja, brincaram onde e com quem não deviam. Se a carne é fraca, todo cuidado é pouco. Sempre preste contas ao seu cônjuge. A Bíblia diz que devemos confessar nossas culpas uns aos outros (Tg 5.16); é necessário que o companheiro saiba o que está acontecendo na vida do outro. Uma vida não supervisionada não é vivida com responsabilidade. Todos devemos estar conscientes de que precisamos responder a alguém sobre os nossos atos.

Quando perceber algum sinal de perigo, peça ajuda. O casal precisa construir uma relação com base na verdade (Pv 10.9) para que, quando vier a tentação, um tenha confiança no outro para abrir o coração e buscar ajuda. Há situações na vida em que é impossível vencer sozinho. Quando o cônjuge procura ser um agente de cura para o companheiro, o resultado final é a vitória sobre a tentação de pecar.

Cultive o seu casamento como se faz com um jardim. Não se pode negligenciar o matrimônio e esperar que ele por si só floresça e frutifique. Invista no seu relacionamento conjugal, dê a ele a atenção necessária. Jamais descuide das barreiras de proteção que devem estar em torno do seu casamento. Não confie no cônjuge a ponto de achar que ele está imune ao pecado do adultério.

A sua confiança no cônjuge deve ser inteligente, equilibrada e sensata. Confiar não significa ver o outro como um anjo incapaz de pecar só porque é uma pessoa seriamente comprometida com Deus. Por mais que o seu cônjuge seja sério e espiritual, ajude-o a não pecar. Já aconselhei casais que caíram em pecado porque não foram criteriosos em relação a quem deveriam receber como "amigos" dentro de casa ou até mesmo porque não foram cuidadosos com quem eles se relacionavam. Quem ama não tem ciúme doentio, mas sabe cuidar, protegendo muito bem a pessoa amada. A esposa deve ajudar o marido a enxergar o que muitas vezes ele não percebe e que, no futuro, pode se tornar um grande problema. O marido deve fazer o mesmo. Ao perceber qualquer comportamento estranho do cônjuge, não tenha medo de confrontá-lo. A verdade não tem medo da luz. Pessoas responsáveis respondem a perguntas difíceis sobre os seus atos. A confrontação quase sempre provoca tensão, mas é o melhor caminho para livrar o outro de um tropeço moral, que, em geral, torna-se fatal no relacionamento.

A sua confiança no cônjuge deve ser inteligente, equilibrada e sensata. Confiar não significa ver o outro como um anjo incapaz de pecar só porque é uma pessoa seriamente comprometida com Deus.

Muitos casamentos teriam sido salvos se o cônjuge tivesse confrontado o outro, a fim de livrá-lo do pior. Infelizmente, na maioria das vezes em que ocorre um adultério, só depois que tudo vem à tona é que o cônjuge diz: "Bem que eu notei, vi, percebi, desconfiei... Mas não tive coragem de perguntar, de ir atrás, de buscar a verdade". Lembre-se: é sempre mais fácil vencer a tentação quando o processo está no início.

Cuidado com a Internet. De todos os avanços tecnológicos de nossos dias, essa é uma das mais impressionantes invenções do homem. A Internet foi um fator determinante para a globalização, pois tudo passa por essa rede virtual fantástica. Porém, quando esse meio de comunicação é usado para o mal, o prejuízo é tão grande ou maior quanto os benefícios que proporciona. O número de crianças, adolescentes, jovens e casais que estão se perdendo por causa das redes sociais e outras ferramentas é assustador. Quando se trata de Internet, é preciso tomar muito cuidado para não usar de forma errada esse instrumento tão poderoso.

O melhor lugar para se ter um computador em casa é na sala ou em um espaço onde o marido supervisione a esposa e vice-versa. Conheci um homem casado que, não conseguindo vencer a tentação de visitar páginas impróprias na Internet, decidiu falar sobre isso com a esposa. Os dois acabaram tomando uma atitude radical: sempre que ele precisasse, ela acessaria a Internet junto com ele, pois, assim, a esposa, que não tinha esse problema, o ajudaria a vencer a tentação de conviver com aquilo que poderia destruir o casamento deles.

VALORIZAÇÃO

É impossível amar e não demonstrar isso. A amada de Cântico dos Cânticos diz, acerca de seu amado: "Ele me trouxe ao salão de banquetes; seu grande amor por mim é evidente" (Ct 2.4). Uma das razões por que praticamente todas as mulheres gostam de andar de mãos dadas com o marido em público é que, dessa forma, ele está demonstrando seu amor para todos verem, e isso dá segurança a ela. A mulher, em geral, tem necessidade de expressar e experimentar amor dessa maneira.

Provérbios 31 apresenta o perfil de uma mulher cujo valor é reconhecido por aqueles que lhe são importantes: marido e filhos. Vamos considerar apenas seis qualidades dessa mulher. Ela é generosa (v. 20), criativa (v. 16) e otimista (v. 25). Além disso, é trabalhadora (v. 27), precavida (v. 21), grande esposa e mãe excelente (v.16,29-30). O texto desse capítulo estaria incompleto se não houvesse o registro: "Seus filhos se levantam e a chamam de 'abençoada', e seu marido a elogia: 'Há muitas mulheres virtuosas neste mundo, mas você supera todas elas!'. Os encantos são enganosos, e a beleza não dura para sempre, mas a mulher que teme o Senhor será elogiada" (v. 28-30). Isso fala de reconhecimento.

O reconhecimento dos filhos e do marido eleva a autoestima da esposa e contribui para que o casamento se torne cada vez mais prazeroso. Em maio de 2007, no dia do aniversário de Rousemary, nós estávamos em um encontro nacional de pastores, em Santos (SP). Eu era um dos pastores convidados para ministrar naquela manhã. Quando assumi o microfone para falar aos 3.500 líderes presentes, resolvi fazer uma surpresa à minha esposa, com uma declaração pública de amor. Anunciei que era aniversário dela, pedi que ficasse em pé e disse: "Minha querida, nos invernos rigorosos da vida, você foi o cobertor que não deixou a minha alma morrer de frio. Eu te amo muito! Feliz aniversário!". Naquele dia, ficou claro que, de todos os presentes que ela ganhou, esse reconhecimento público foi o que mais a marcou.

Os casais precisam descobrir o poder da apreciação e do reconhecimento público do valor do outro. Essa é uma necessidade da alma de todos nós. Amar é demonstrar quanto o outro é importante dentro e fora do ambiente do lar. O reconhecimento do valor do outro pode desencadear processos de cura, libertação e transformação impossíveis de dimensionar.

Lembre-se de que seu cônjuge quer sentir que tem valor para você e que um elogio afirma o valor da pessoa e a fortalece — e os elogios que você faz em público são os mais produtivos. Não espere que seu cônjuge adivinhe o que você deveria declarar em forma de palavras e gestos, por isso surpreenda-o com atitudes carregadas de reconhecimento. Isso vai fazer toda a diferença no casamento.

Só tem valor aquilo que você valoriza. Não podemos ser como as crianças, que abrem mão de uma barra de ouro por uma barra de chocolate, porque não sabem diferenciar o valor do ouro em relação ao do chocolate. Todos temos qualidades e defeitos. Você seria capaz de listar as qualidades do seu cônjuge, ou seja, aquilo que você reconhece que faz parte do seu lado bom? Reconhecer os pontos positivos do cônjuge contribui para o seu crescimento. Ninguém melhora quando tem apenas os defeitos observados. Amar é acreditar no potencial oculto da pessoa amada.

RESPEITO

Respeito significa apreço, consideração, acatamento, deferência, obediência, submissão, referência, relação, medo e temor. Se todos na família se respeitarem, a quantidade de feridas provocadas mutuamente vai despencar. Quando marido e mulher não se respeitam é porque o casamento está doente e corre perigo. Se o casal perder o respeito, a vida conjugal perderá o brilho e a relação ganhará um peso insuportável. Se o casamento é uma viagem, ninguém gosta de viajar ao lado de alguém que não sabe respeitar.

É por isso que Paulo diz: "Portanto, volto a dizer: cada homem deve amar a esposa como ama a si mesmo, e a esposa deve respeitar o marido" (Ef 5.33). Já Pedro escreveu: "Da mesma forma, vocês, maridos, honrem sua esposa. Sejam compreensivos no convívio com ela, pois, ainda que seja mais frágil que vocês, ela é igualmente participante da dádiva de nova vida concedida por Deus. Tratem-na de maneira correta, para que nada atrapalhe suas orações" (1Pe 3.7).

A vida fica melhor quando tratamos uns aos outros com respeito. Quem sabe respeitar o próximo constrói confiança e credibilidade. Uma mulher desrespeitada pelo marido perde a admiração e o apreço por ele. Um marido desrespeitado pela esposa vive pela metade e não tem prazer em protegê-la. Por isso, um requisito básico para manter o respeito entre o casal é respeitar os limites e as diferenças um do outro.

Quem sabe respeitar o próximo constrói confiança e credibilidade. Uma mulher desrespeitada pelo marido perde a admiração e o apreço por ele. Um marido desrespeitado pela esposa vive pela metade e não tem prazer em protegê-la.

Quando tratamos as pessoas com respeito, podemos obter sete resultados: desenvolvemos hábitos e habilidades sociais que aumentam nossa eficiência; fazemos que as outras pessoas se sintam bem; conquistamos o respeito dos outros; estabelecemos bons relacionamentos; somos mais bem tratados; aumentamos nossa autoestima; e construímos uma reputação sólida.

Não se pode transformar o cônjuge em escravo de nossas vontades nem deixar de vê-lo como realmente é. É preciso superar o egocentrismo com o qual nascemos e perder a mania de achar que o mundo gira em torno de nós. É possível resolver os conflitos de opiniões ou de interesses diferentes. O que é necessário para que isso aconteça? Respeito!

Algumas diferenças devem ser respeitadas na vivência conjugal. Conhecer algumas das muitas diferenças entre o homem e a mulher pode ajudar no fortalecimento do vínculo conjugal, evitando que a unidade do casal adoeça.

Homem	Mulher
Para ele, o bem-estar do casal é determinado primariamente pelo sucesso que o homem experimenta no trabalho.	O bem-estar das mulheres é determinado primariamente pela qualidade de seus relacionamentos.
O homem tem a capacidade maior de analisar e chegar ao fim de uma questão, sem se deixar envolver por problemas pessoais e emocionais.	A mulher tem a capacidade maior de detectar sentimentos e insinuações não verbais e de perceber detalhes nas pessoas.
O homem tem uma necessidade particular de ser respeitado e de ser admirado por sua competência.	A mulher tem uma necessidade especial de expressar sentimentos e experimentar amor.
O homem usa a linguagem, primariamente, para expressar ideias e conceitos e manter posições de destaque.	A mulher se utiliza da linguagem especialmente para desenvolver relacionamentos. Por isso, é mais provável que procure segurança em relacionamentos do que em realizações.
O lar para o homem é o lugar onde ele pode se desligar e descansar, sem se preocupar com a sua produtividade.	O lar para a mulher é o local onde deve existir comunicação significativa.

O homem procura segurança nas realizações, mais que em relacionamentos. Se um homem se deixar envolver por detalhes ou emoções, será um general fraco na guerra e um administrador ineficiente. O maior medo dos homens é o de ser chamado de incompetente, de sentir-se diminuído, rejeitado e dominado.	A mulher desenvolve modelos de comunicação indiretos: explosões de raiva, choro, dissimulação ou, quando tudo isso não serve para nada, desenvolve sintomas. Isso confunde e afasta os homens, que não entendem o que elas querem e o que esperam deles. Essas características reforçam a capacidade que as mulheres têm de compreender, nutrir e apoiar. Ela precisa se sentir amada e reconhecida pelo que é, e não por alguma tarefa que realiza. O maior medo das mulheres é ser desejada apenas como objeto, enquanto for útil. Quando a necessidade da mulher de ser amada não é satisfeita, ela sente perda da intimidade. Para suprir essa falta, tenta estabelecer vínculo por meio de perguntas, pedidos, apelos, exigências ou acusações. A reação do homem é a de se afastar, e isso aumenta o conflito.

Quando se respeitam as diferenças, o cônjuge enxerga o outro como pessoa, e não como propriedade sua. Isso porque compreende que o outro não existe apenas para satisfazê-lo. Os casais precisam saber que é necessário no casamento deixar sempre um espaço para as diferenças, porque só assim um respeita os sentimentos do outro. Praticar esse princípio leva a pessoa a deixar de lado seus sentimentos e se colocar no lugar do outro. Assim, respeitar é dar ao cônjuge a liberdade de ser diferente.

O que os casais fazem quando discordam? A comunhão do casal depende de quanto cada cônjuge permite ao outro ter diferentes opiniões, estados de espírito, gostos e vontades. E se um quiser fazer sexo e o outro não? E se cada um quiser numa frequência diferente? E se um tiver vontade de sair e o outro não? E se um quiser uma casa grande e o outro quiser guardar dinheiro e evitar a pressão de um financiamento longo? A resposta depende de como os dois toleram suas diferenças. Num bom casamento, o casal sabe valorizar e respeitar suas diferenças. Ter divergências não é errado; elas fazem parte da matéria da qual brota o amor. Você aprecia o jeito de ser do seu cônjuge? Você é capaz de amar algo nele que não tem nada a ver com você? Amar é apreciar a outra pessoa pelo que ela é, sem pensar no que se quer ou no que dela se espera.

O amor prova que é possível haver unidade sadia no casamento, sendo os cônjuges completamente diferentes. Isso é unidade na diversidade. Para tanto, marido e mulher precisam dar alguns passos práticos.

Respeite a família de origem do cônjuge

Em todas as palestras que ministro para casais, repito esta frase: "A sua qualidade de vida conjugal e a duração do seu casamento podem ser determinadas pela forma como você trata os pais e a família do seu cônjuge". Em cada família existe alguma pessoa difícil com a qual se aprende a conviver, porém nada justifica quando ele ou ela trata a família de origem do outro com falta de respeito e dignidade. Casais inteligentes sabem respeitar a família do outro. Saber se relacionar com os sogros e com os cunhados pode resultar em muitos benefícios para o relacionamento conjugal.

Respeite o momento do cônjuge

Não é sempre que o outro está bem-humorado, alegre e motivado. Pode acontecer de o marido chegar em casa eufórico, feliz da vida, querendo comemorar com a esposa uma grande conquista, e encontrá-la frustrada por causa de uma má notícia que recebeu à tarde. É nesse momento que o casal deve ter maturidade e discernimento, para um respeitar o momento do outro. O segredo é não desqualificar a emoção do cônjuge, mas respeitá-la.

Respeite a maneira como o cônjuge vê as coisas

Pode acontecer de marido e mulher olharem para a mesma figura, mas cada um enxergá-la de maneira diferente. O mesmo acontece quando os dois estão discutindo sobre um ponto de vista em relação a um problema ocorrido, por exemplo, no trabalho, na escola dos filhos, no relacionamento sexual, na compra de um imóvel, na venda de um carro. São duas pessoas pensando e vendo, muitas vezes, de forma totalmente diferente uma da outra. O respeito é a base do entendimento, pois só assim prevalece o bom senso.

Respeite o ritmo do cônjuge

Cada pessoa se movimenta, fala, decide, anda e age numa velocidade. Nem sempre o casal tem a mesma cadência. É preciso respeitar as diferenças e se adaptar a elas. Um dos pontos de tensão muito sérios em muitos casamentos é a diferença do impulso sexual do homem e da mulher. O homem, em geral, tem o impulso sexual muito mais aguçado que o da mulher. Ele é a pessoa que age, toma a iniciativa, e ela a que reage e espera ser seduzida. Essa diferença tem sido a causa de conflitos intermináveis entre marido e mulher. Como resolver isso? A saúde está no equilíbrio.

A mulher não pode ser sexualmente omissa, esperando que o marido comece e termine o ato sexual, sem se envolver efetivamente. Se o homem se excita pelo que vê, significa que a mulher deve se preocupar em despertá-lo, vestindo-se de forma sedutora na hora do ato sexual. O marido pode ajudar a esposa a ser mais livre, solta, ousada e eficiente na prática do ato conjugal. A compreensão e o respeito podem contribuir para o crescimento do casal nesta área. Quanto mais respeito, maior será o amor, e mais fácil para que homem e mulher alcancem a plenitude orgástica.

Respeite o direito do cônjuge

Para você ser feliz no casamento, não é necessário exigir que o outro se anule. O casamento não é uma chamada para o aprisionamento nem para a escravidão. O tripé dos limites no que tange ao respeito inclui liberdade, respeito e amor.

Respeite a individualidade do cônjuge

Não confunda intimidade com invasão de privacidade. Mesmo dentro do casamento, cada um deve respeitar a individualidade do outro. Por exemplo: o marido não deve abrir o presente que a esposa ganhou nem a esposa abrir a correspondência que chegou para o marido. Se isso acontecer, é invasão de privacidade.

Respeite o histórico de vida do cônjuge

Conhecer e respeitar o histórico de vida do cônjuge é um fator determinante para que um se torne o agente de cura do outro.

Respeite os sonhos do cônjuge

Respeitar os sonhos do cônjuge é contribuir para que eles se realizem. Você pode ser um facilitador da realização dos sonhos do seu cônjuge.

Respeite as emoções do cônjuge

Importe-se com o que importa para ele. O que para você não significa muito, para o cônjuge pode ser algo muito importante. Qualquer casa se torna um lugar prazeroso quando as pessoas se respeitam mutuamente.

TRADIÇÕES

Valorize e preserve as tradições na sua família. A maneira como vocês tiram férias, passam os finais de semana e comemoram o aniversário de cada um revela aspectos importantes do espírito da sua cultura familiar.

Tradição é o ato de transmitir ou passar adiante, muitas vezes de maneira oral, lendas, fatos, doutrinas, costumes, hábitos e outros elementos da vida, durante um longo espaço de tempo. As tradições representam o espírito da cultura de uma família. Podemos definir cultura como um conjunto de padrões de comportamento. Fazem parte das tradições familiares os rituais, as comemorações e os eventos importantes promovidos na família. O salmo 78 retrata bem essa transmissão de valores pela tradição familiar.

Ó meu povo, ouça minhas instruções! Abra os ouvidos para o que direi, pois lhe falarei por meio de parábola.

Ensinarei enigmas de nosso passado, histórias que ouvimos e conhecemos, que nossos antepassados nos transmitiram.

Não esconderemos essas verdades de nossos filhos; contaremos à geração seguinte os feitos gloriosos do SENHOR, seu poder e suas maravilhas.

Pois ele estabeleceu seus preceitos a Jacó, deu sua lei a Israel.

Ordenou a nossos antepassados que a ensinassem a seus filhos, para que a geração seguinte, os filhos ainda por nascer, a conhecesse, e eles, por sua vez, a ensinarão a seus filhos.

Portanto, cada geração deve pôr sua esperança em Deus, não esquecer seus poderosos feitos e obedecer a seus mandamentos.

Assim, não serão como seus antepassados, teimosos, rebeldes e infiéis, que se recusaram a confiar em Deus de todo o coração.

SALMOS 78.1-8

É importante preservar as tradições na família porque elas nos ajudam a compreender quem somos.

Toda família, independentemente da situação financeira, tem suas tradições. Seja um ritual que acontece todos os dias, seja as férias gozadas uma vez por ano. É importante preservar as tradições na família porque elas nos ajudam a compreender quem somos. Somos parte de uma família que constitui uma unidade forte, cujos integrantes se amam mutuamente, se respeitam e se honram, comemoram o aniversário de cada um e realizam eventos especiais, criando memórias positivas para todos.

Por meio das tradições, reforçamos a conexão da família. Proporcionamos uma sensação de integração, amparo e compreensão: Nós nos comprometemos uns com os outros; todos fazemos parte de algo maior que cada um sozinho; expressamos e mostramos lealdade uns para com os outros; necessitamos ser necessários; precisamos ser desejados; e ficamos felizes por fazer parte da família. Quando pais e filhos cultivam tradições, elas renovam a energia emocional e constituem um elo positivo com o passado.

As tradições têm a ver com a identidade da família, e são fundamentais para mantê-la unida. Isso porque elas nutrem a consciência coletiva, a vontade social, a consciência social e o senso de propósito. Quero considerar algumas tradições importantes preservadas na minha família e que recomendo a todos.

Refeições com todos à mesa

Nasci em um lar onde meu pai, como o sacerdote da casa, sempre nos ensinou a fazer as refeições à mesa, e nunca na sala de TV ou no quarto. Está provado que as famílias bem-sucedidas têm como hábito fazer refeições com todos à mesa. Uma pesquisa recente revelou que apenas a metade dos adolescentes janta regularmente com os pais.

O momento da refeição pode ser um tempo importante de renovação para pais e filhos, por isso o casal deve organizar refeições significativas, para que a família tenha um tempo sem televisão, celular, computador e outras distrações que mais afastam que aproximam. Essa prática fará que a mesa se torne um altar para a comunhão e a conexão da família. Quando uma família nutridora se reúne à mesa, seus membros podem compartilhar o que aprenderam e experimentaram durante o dia, conseguem compartilhar testemunhos das vitórias alcançadas, podem dar boas gargalhadas ao ouvir fatos engraçados do cotidiano de cada um, conseguem fazer comentários sobre assuntos relevantes que estão na mídia, podem compartilhar um pouco sobre a aula ou o trabalho, falar sobre o que acharam da mensagem do pastor no culto, entre tantas outras situações de aproximação e relacionamento.

A verdade é que a mesa onde fazemos as refeições oferece uma oportunidade perfeita para criar tradição renovadora por causa da comida. Feliz é a família que faz do momento das refeições um tempo de nutrição da alma. É comum em sua casa fazer refeição com todos à mesa? Quantas vezes na semana essa reunião acontece? Os casais precisam desenvolver hábitos positivos dentro da cultura familiar, e fazer refeições com todos à mesa é um deles.

Oração com todos à mesa

O lar deve ser uma escola onde todos possam aprender sobre valores morais e espirituais. A reunião da família em torno da mesa é o melhor momento para isso. É quando se está em torno da mesa que a família relaxa, abre o coração, ora, sorri e compartilha ideias, opiniões e conselhos.

Implementei como tradição da minha família o hábito de orar a Deus antes de qualquer refeição, expressando nossa gratidão pelo alimento, prática que me ensinou lições que ficarão em meu coração por toda a vida. Posso dizer que a mesma coisa está acontecendo com os meus filhos. A oração antes das refeições nos ensina que somos dependentes de Deus, que a gratidão é a memória do coração, que devemos ser generosos com os que nada têm e que a provisão é fruto do favor divino.

Férias em família

Nenhum outro tempo serve para renovar a família mental, espiritual, social e emocionalmente como o período de férias. Eu e minha esposa damos uma pausa anual desde que nos casamos para desfrutar desse momento de descanso. Planejar, sonhar e pensar nas férias, bem como lembrar o que aconteceu na última viagem e rir dos momentos engraçados que a família viveu, é muito bom para renovar cada membro e desenvolver uma cultura familiar nutridora. Lembre-se de que qualquer viagem pode constituir uma grande experiência renovadora para a família.

Férias de casal

Todo casal precisa de um tempo, ainda que seja um final de semana, num lugar aconchegante, para renovar o romantismo, namorar, curtir um ao outro, andar por caminhos que nunca andaram e abrir o coração mutuamente. Já faz alguns anos que eu e Rousemary sempre reservamos alguns dias em julho para um tempo de férias de casal. Se em janeiro tiramos férias com toda a família, em julho somos só eu e ela. Os filhos ficam em casa.

Conheço muitos casais que se privam de sair sozinhos com a desculpa de que as crianças não ficam com ninguém além deles, que não têm com quem deixá-los, que já passam muito tempo juntos e coisas similares. Infelizmente, muitos casais, por falta de criatividade, atitude e vontade, se dão conta tarde demais de que ter um tempo para si é relevante e muito necessário no processo de renovação conjugal. Quando há vontade e atitude, o casal dá um jeito, e as coisas acontecem para o bem do relacionamento.

Eu tenho três filhos, que nunca serviram de impedimento para as nossas viagens. As crianças precisam desde cedo aprender sobre a importância de os pais terem o seu espaço, o seu tempo e suas férias. O cônjuge não pode perder o seu parceiro de vista por causa de um apego doentio aos filhos.

Infelizmente, muitos casais, por falta de criatividade, atitude e vontade, se dão conta tarde demais de que ter um tempo para si é relevante e muito necessário no processo de renovação conjugal.

Lanche ou jantar fora semanal

O casal deve criar oportunidades para que a família esteja junta, fortalecendo os laços que os unem. Lanchar em algum lugar escolhido pelo cônjuge pode ser um tempo muito agradável de comunhão e renovação. Com frequência peço para um dos nossos filhos escolher onde quer lanchar com a família. Saímos para jogar conversa fora, rir e nos distrair. Isso tem feito um bem enorme a todos nós.

Culto dominical

Sou de uma família de nove filhos. Quando nasci, meus pais já eram cristãos piedosos e muito envolvidos nos serviços da igreja. Por isso, estar na igreja todos os domingos pela manhã e à noite era tradicional e obrigatório, até porque meu pai era um dos oficiais do templo e tinha de dar o exemplo. Para ele, a escola dominical pela manhã era uma oficina teológica que dava a formação religiosa de que todos os filhos precisavam. Nós não podíamos deixar de comparecer. Apesar da rigidez nas cobranças, sou grato por ter sido criado dessa forma, pois a intenção do meu pai era que os seus filhos crescessem na graça e no conhecimento do Senhor Jesus e fossem discípulos piedosos.

Passagem de ano com toda a família na igreja

Como já disse, meus pais, como cristãos fervorosos, cedo nos ensinaram que era muito importante terminar e começar o ano na igreja, e com toda a família. Na concepção deles, esse momento era uma oportunidade ímpar para agradecer e pedir a Deus um ano abençoado. A minha vida inteira sempre foi assim, e me fez muito bem, por isso eu trouxe a tradição para a minha família atual, e o resultado tem sido o mesmo na vida dos meus filhos. Tudo o que aprendemos com os nossos pais foi bom, e deve ser preservado. Passar de um ano para o outro orando, agradecendo e rogando ao Senhor a sua bênção faz toda a diferença na vida de qualquer família.

Ceia de Natal com a família na casa da vovó ou de um dos filhos

A confraternização de Natal é outro momento importante para a renovação familiar. O clima do Natal é propício para reencontros, perdão, reconciliação e agradecimentos. Trata-se de um tempo em que as pessoas se dedicam para presentear o cônjuge, os filhos, os pais, os irmãos. A troca de presentes, em muitas famílias, com a brincadeira do amigo oculto (ou secreto), contribui para a renovação da consciência coletiva da família. Essa é uma tradição que deve ser preservada e cultivada em todas as famílias. A confraternização promove a renovação dos laços familiares, aproxima os que estão distantes e nutre a alma do casal e dos filhos.

O aniversário de cada membro da família comemorado com festa

Certo dia, quando terminei uma palestra sobre a importância do toque afetuoso na relação familiar, uma jovem de 17 anos me procurou e disse que nunca havia recebido um abraço do pai. Tampouco se lembrava de ter recebido dele os parabéns no dia do seu aniversário. Ela me falou isso com lágrimas banhando seu rosto. Infelizmente, muitas famílias não têm consciência da importância de celebrar o aniversário de uma pessoa. Comemorar um aniversário é comemorar a existência. É a oportunidade que o cônjuge, os filhos e os pais têm para expressar amor, gratidão, reconhecimento e apreciação pela pessoa que lhes é importante, estreitando o laço, fazendo um investimento significativo no coração do outro. Em nossa família comemoramos com festa, ainda que simples, o aniversário de todos. Reconhecer a importância e o valor de uma pessoa contribui para a sua autoestima, e isso desencadeia um processo de bênção que não se pode dimensionar.

* * *

Caso você perceba que não vive como deveria as tradições em sua família, permita-me compartilhar algumas orientações que poderão ajudá-lo a melhorar nessa área:

- Faça dos momentos de refeição com toda a família em torno da mesa um tempo de renovação espiritual e emocional. Ore, leia um versículo da Bíblia ou cante louvores a Deus.

- Tenha uma reserva financeira com o propósito de, uma vez por ano, tirar alguns dias de férias com a família. Querer é o primeiro passo para que as coisas mudem.
- Reserve um fim de semana na sua agenda a cada sessenta dias para sair com o cônjuge a fim de namorar, curtir o casamento e renovar a aliança.
- Procure criar situações para que a família faça atividades com a participação de todos.
- Invista no crescimento espiritual da família preservando as tradições religiosas.
- Celebre o aniversário de cada membro da família com criatividade e muita alegria, pois todos precisamos desse reconhecimento. Celebrar um aniversário é dizer à pessoa quanto ela é importante.
- Procure fazer das datas festivas um tempo de renovação da comunhão da família. O Natal nos oferece essa oportunidade de aproximação, perdão e reconciliação.

Lembre-se de que todos fazemos parte de algo maior do que cada um de nós isoladamente. Queremos ser necessários, precisamos ser desejados e ficamos felizes por fazer parte da família. Quando pais e filhos preservam e cultivam tradições, elas renovam a energia emocional e constituem um elo positivo com o passado. E isso fortalece o senso de unidade familiar.

LIMITES

Proteja o seu relacionamento contra a invasão de intrusos. Você sabia que os limites sempre foram vitais para os seres humanos no que se refere a relacionamentos? Os dicionários definem limite como uma linha ou ponto divisório. A função dos limites é separar, proteger e distribuir o espaço da terra entre os seres humanos. Além de separar e proteger, os limites ajudam a definir quem você é e quem são os outros.

Proximidade em excesso cria desavenças até entre irmãos. Por mais que se relacionem bem, conflitos surgirão caso eles vivam mais próximos do que deveriam uns dos outros. A relação entre proximidade e distância estende-se a questões espaciais bem práticas. Uma casa barulhenta demais, por exemplo, com quartos insuficientemente isolados, em que se pode ouvir até a tosse do vizinho, é um exemplo de proximidade nociva, que pode provocar agressividade.

Algumas perguntas podem ajudá-lo a fazer uma avaliação sobre os limites na sua vida.

Você diz *não* aos seus próprios desejos?

Dominar-se é o maior desafio para qualquer pessoa. Quando você diz *não* aos seus desejos significa que a disciplina é algo determinante em sua vida, e isso o levará ao sucesso. Os limites começam dentro de você. Quem não é capaz de negar-se nunca será apto a dizer *não* aos outros.

A relação com a sua família de origem vem impedindo seu crescimento?

Quando o relacionamento com a família de origem começa a concorrer com o casamento, indica que a relação é doentia e precisa ser repensada, isto é, faltam limites. Nenhum outro relacionamento pode estar acima do compromisso entre marido e mulher, a não ser a nossa comunhão com Deus. Pai, mãe, irmãos ou irmãs, por mais queridos que sejam, não podem ocupar o espaço do relacionamento do casal. Caso contrário, a tendência é aumentarem os conflitos e a tensão no relacionamento.

Quem manda na sua casa?

O princípio de liderança foi estabelecido por Deus para regulamentar a vida comum em família. Quando se quebra este princípio, abre-se uma brecha que enfraquece o relacionamento conjugal. O líder é quem define os limites; a esposa com autoridade delegada pelo marido pode também definir esses limites e cobrar para que sejam respeitados. É bom que o casal deixe bem claro entre eles a função do líder, que é a de governar, e a da esposa, que é a de edificar. Quando os papéis estão bem definidos dentro de uma família, fica mais fácil conhecer os limites.

Você sabe o que são padrões infantis de responsabilidade?

É quando os pais não precisam, mas exigem que os filhos assumam suas mochilas. Não podemos viver assumindo responsabilidades que não são nossas. Cuidar de forma responsável daquilo que nos pertence exige tempo, dedicação, atenção e dinheiro, entre outras coisas. Quando assumimos a "mochila" dos outros, mesmo que seja a dos pais, sobrecarregamo-nos e provocamos um estresse crônico que comprometerá o nosso relacionamento conjugal. Você assume responsabilidades que não são suas? Há pessoas que assumem responsabilidades que são dos pais, dos irmãos, dos amigos ou da igreja. É preciso ter firmeza, coragem, determinação e discernimento para dizer *não* sempre que for necessário. Essa é a chave dos limites.

Sua amizade com alguém está provocando conflitos no casamento?

Um sinal claro de que há problemas de limites é quando seu relacionamento com uma pessoa afeta sua relação com as demais. Não se pode permitir que alguém tenha um poder muito grande sobre a sua vida.

Ao visitar a casa dos pais, você regressa de lá deprimido?

Se visitar a casa dos pais está fazendo mal a você, significa que a relação é doentia e precisa ser repensada. Seria bom que o marido ou a esposa voltasse da casa dos pais melhor, e não pior. Você é dono da sua vida e pode impedir que as pessoas exerçam influências negativas sobre você e seu casamento. Não se deixe envenenar, não abra o coração para conversas que não agregam valor à sua vida.

Quem manda no seu dinheiro, no seu cartão de crédito e no seu talão de cheques?

Pessoas que não sabem dizer *não* e emprestam dinheiro, cheques ou cartão de crédito sempre pagarão dívidas que não contraíram. Infelizmente, muitos casamentos estão mergulhados em profunda crise por falta de firmeza de maridos e esposas que não controlam o que lhes pertence. Saiba dizer *não* sempre que for necessário. Assuma o comando da sua vida financeira.

Saiba dizer não sempre que for necessário. Assuma o comando da sua vida financeira.

Quando uma pessoa lhe pedir que empreste seu nome para fazer uma compra, porque ela está sem crédito na praça, diga não. Quem sujou o próprio nome, com certeza irá sujar o seu também. Quem empresta dinheiro para um amigo que não paga, perde o amigo e o dinheiro. Entre perder o amigo ou o dinheiro por dizer não, salve pelo menos o dinheiro. Assuma o controle do que é seu.

Quando você sai com alguém, costuma comprar o que não precisa só porque o outro comprou o que precisa?

Certo dia, minha esposa foi a um *shopping center* com uma senhora que tinha o hábito de fazer as amigas comprarem tudo o que viam e achavam interessante; mas ela mesma nada comprava. Pessoas assim precisam ser tratadas com firmeza, pois violam os limites e controlam aquilo que é nosso. Chegou um momento em que aquela senhora incomodou tanto que minha esposa lhe disse: "Se você quer comprar, fique à vontade. Eu não preciso e não vim procurar esse produto. Eu não compro apenas porque está em promoção". Seja firme quando sair na companhia de pessoas dominadoras.

Por que será que muitas pessoas têm dificuldade de dizer *não*?

Os motivos para isso incluem medo de perder o amor ou ser abandonado, medo da raiva do outro, medo da solidão, medo de sentir culpa, medo de perder o emprego e excesso de identificação com a frustração dos outros. Lembre-se de que, se a sua doação não lhe traz alegria, você precisa examinar a sua motivação.

Cada pessoa deve saber até onde vão seus limites e os dos outros. Ninguém é obrigado a assumir responsabilidades que não são suas. Há pessoas que assumem a vida dos pais ou dos irmãos e acabam arruinando o casamento. Ser solidário com a dor dos parentes e ajudar dentro dos limites do bom senso é ótimo; assumir a vida deles é péssimo.

O que é necessário para estabelecer limites?

- Seja líder de si mesmo. Assuma o comando de sua vida.
- Tenha compromisso com uma ordem de prioridades.
- Nunca sacrifique o que é importante pelo urgente.
- Não confunda generosidade com abuso em nome do amor.
- Não permita que outras pessoas assumam o governo de sua vida, determinando o que você deve ou não fazer.
- Não tome decisões com base nas emoções: use sempre a razão.
- Em caso de dúvida, procure a ajuda de um conselheiro que saiba mais do que você a respeito de limites. Liderar a si mesmo é o grande desafio das pessoas que desejam uma vida de sucesso na perspectiva do Eterno, e isso tem a ver com limites.

5

DECISÃO

Todos nós já ouvimos muitas vezes que a nossa vida é o resultado das escolhas que fazemos. Não é possível viver nem um dia sequer sem tomar decisões, sejam elas relevantes ou não. Cada escolha que fazemos ajuda a construir nosso destino. A Bíblia apresenta homens e mulheres que triunfaram, deixando um legado digno de ser seguido — tudo porque souberam fazer a escolha certa. Alguns exemplos são Moisés, o grande libertador de Israel; Abraão, o pai da fé; Davi, o homem segundo o coração de Deus; Paulo, o apóstolo aos gentios; e muitos outros.

A lista é grande. Porém, as Escrituras também apresentam o registro de homens que pagaram um alto preço porque não souberam escolher bem, como Jonas, Sansão e Uzias. Ao escrever sobre como tomar decisões acertadas, minha intenção é ajudá-lo a ser uma pessoa bem-sucedida na família com base em suas escolhas.

CUIDADO COM DECISÕES TOMADAS EM TEMPO DE CRISE

O pior momento para tomarmos decisões relevantes é quando estamos em tempo de crise. A crise pode tanto ser uma grande oportunidade de crescimento como um período muito perigoso. Espere o coração se acalmar e não tenha pressa, pois este não é o melhor momento para você e sua família tomarem decisões importantes. O sábio Salomão escreveu: "Há um momento certo para tudo, um tempo para cada atividade debaixo do céu" (Ec 3.1).

Lembre-se de que as suas decisões afetam aqueles que caminham, viajam e convivem com você. Com frequência, ouço pessoas dizendo: "Ninguém tem nada a ver com a minha vida. Eu sou dono do meu destino". Isso é um péssimo modo de pensar. Não existe forma de tomar decisões relevantes sem que outras pessoas sejam beneficiadas ou prejudicadas por nossa causa. Todas as decisões que tomamos têm implicações na vida do próximo. Eva perdeu tudo o que o Senhor lhe concedera, e, hoje, toda a humanidade sofre por causa de uma decisão errada que ela tomou (Gn 3). Em razão de outra decisão errada, Jonas, apesar de ser um profeta do Senhor, fez que todos os que estavam no mesmo barco que ele sofressem as consequências do seu erro (Jn 1). Sansão, apesar de ser um escolhido de Deus, tomou uma decisão tão errada que o fez perder a presença do Senhor em sua vida (Jz 16). Judas Iscariotes tomou duas decisões erradas: a primeira foi a de trair Jesus; a segunda foi porque, não suportando a dor do remorso, acabou optando por tirar a própria vida (Mt 27.5).

É possível que você esteja prestes a tomar uma decisão ainda hoje, ou na próxima semana, ou no próximo mês. Por isso, ofereço algumas sugestões que podem ajudá-lo no momento de decidir sobre algo importante.

Deus precisa estar no controle das suas decisões

Quando você ora "Venha o teu reino. Seja feita a tua vontade, assim na terra como no céu" (Mt 6.10), está dizendo: "Senhor, assume o controle da minha vida, dirige todos os meus passos, guia-me por caminhos seguros, não deixes que os meus pés vacilem". Tudo o que começa com Deus termina debaixo da sua bênção. Felizes são as pessoas que procuram envolver o Senhor em tudo o que fazem. Ele conhece o passado, o presente e o futuro. Ninguém melhor do que ele para nos mostrar o que será para o bem da nossa vida. Infelizmente, muitos buscam o Senhor quando já tomaram decisões equivocadas por conta própria e, por isso, estão sofrendo as consequências do seu erro. Antes de tomar qualquer decisão relevante na vida, busque a orientação do Senhor.

Quando a decisão for relevante, reflita demoradamente sobre ela

Demore um pouco mais, "durma" sobre a questão, ore mais um pouco. Decisões bem tomadas são aquelas que tomamos com calma, sem nos precipitar. "Esperei com paciência pelo SENHOR; ele se voltou para mim e ouviu meu clamor" (Sl 40.1). Quase sempre, as piores decisões são aquelas tomadas de forma precipitada. Lembro-me de um jovem que veio à minha casa pedir minha filha em namoro.

> *Decisões bem tomadas são aquelas que tomamos com calma, sem nos precipitar.*

Conversamos um pouco, e percebi que ele era um bom rapaz e que daria um bom marido. Porém, eu perguntei aos dois: "Vocês estão dispostos a orar comigo durante trinta dias antes de tomar a decisão final?". A espera também é uma prova do amor: quem não sabe esperar, ainda não aprendeu a amar. Decisões importantes requerem paciência de quem vai tomá-las. O jovem e a minha filha aceitaram o tempo de espera, e eu considerei esse um ponto muito positivo. Depois de um mês de oração, os dois acharam melhor não começar o namoro, pois entenderam que a vontade de Deus era outra. Esperar em Deus é sempre melhor.

Tenha conselheiros que o orientem

"Sem uma liderança sábia, a nação cai; ter muitos conselheiros lhe dá segurança" (Pv 11.14). Com certeza, o filho perdido da parábola de Jesus (Lc 15.11-32) não tinha conselheiros a quem recorrer. Um conselho pode nos livrar dos caminhos da morte. Muitas vezes, achamos que tomar atalhos na vida ajudará a queimar etapas e nos fará chegar mais rápido, o que nem sempre é verdade. Muitas vezes, somos curiosos, queremos saber de coisas que nem ao menos nos dizem respeito e que nada de bom nos acrescentarão. Outras vezes, agimos por impulso, na hora da raiva, e fatalmente nos arrependemos depois. Bons conselhos solucionam esse problema e evitam que tropecemos em nossos erros.

Lembre-se do que diz a sabedoria bíblica: "O insensato pensa que sua conduta é correta, mas o sábio dá ouvidos aos conselhos" (Pv 12.15). Converse com pessoas experientes, que sabem mais que você, e ouça o que elas têm a dizer. Apesar de ser um grande líder, houve um tempo em que Moisés precisou de alguém que o aconselhasse. Ele, sozinho, julgava todas as demandas do povo de Israel durante a peregrinação pelo deserto. Seu sogro, porém, um sábio conselheiro, mostrou-lhe o que não estava vendo.

> No dia seguinte, Moisés sentou-se para resolver problemas que surgiram entre os israelitas. O povo esperou diante dele, em pé, desde a manhã até a tarde. Quando o sogro de Moisés viu tudo que ele tentava fazer pelo povo, perguntou: "O que você está fazendo com este povo? Por que você se senta sozinho para julgar e os obriga a ficarem de pé diante de você o dia inteiro?". Moisés respondeu: "O povo me procura para conhecer as decisões de Deus. Quando surge algum problema, eles me procuram e eu resolvo a questão entre as partes em conflito. Informo o povo sobre os decretos de Deus e transmito suas instruções". "O que você está fazendo não é bom", disse o sogro de Moisés. "Você ficará esgotado e deixará o povo exausto. É um trabalho pesado demais para uma pessoa só. Agora ouça-me e escute meu conselho, e Deus esteja com você. Continue a ser o representante do povo diante de Deus, apresentando-lhe as questões trazidas pelo povo. Ensine a eles os decretos e as instruções de Deus. Mostre aos israelitas como devem viver e o que devem fazer. No entanto, escolha dentre todo o povo homens capazes e honestos que temam a Deus e odeiem suborno. Nomeie-os líderes de grupos de mil, cem, cinquenta e dez pessoas. Eles deverão estar sempre disponíveis para resolver os problemas cotidianos do povo e só lhe trarão os casos mais difíceis. Deixe que os líderes decidam as questões mais simples por conta própria. Eles dividirão com você o peso da responsabilidade e facilitarão seu trabalho. Se você seguir esse conselho, e se Deus assim lhe ordenar, poderá suportar as pressões, e todo este povo voltará para casa em paz." Moisés aceitou o conselho do sogro e seguiu todas as suas recomendações.
>
> Êxodo 18.13-24

Lembra-se do filho pródigo? A forma como ele tomou sua decisão deixou claro que ele não julgava importante buscar conselhos antes de tomar uma decisão.

Pese os prós e os contras

Em todas as decisões importantes, existem perdas e ganhos, aspectos positivos e negativos, a favor e contra. Pegue uma folha, desenhe duas colunas e escreva em uma delas os aspectos positivos e, na outra, os negativos. Isso lhe dará uma visão ampla de tudo o que está envolvido na decisão que será tomada. Peça para uma pessoa de confiança ajudar-lhe a preencher essas colunas. Quem está fora da questão tem uma visão melhor das coisas. Se a coluna com os aspectos negativos for mais extensa que a dos positivos, isso é um sinal de que não vale a pena investir no projeto em questão.

Faça todas as contas possíveis

Jesus contou uma parábola que nos ajuda a entender a importância da prudência em nossas decisões: "Quem começa a construir uma torre sem antes calcular o custo e ver se possui dinheiro suficiente para terminá-la?" (Lc 14.28). Dependendo do que está em jogo, deve-se gastar tempo fazendo contas.

Se é uma viagem sem volta, não tenha medo de pedir mais um sinal para Deus quanto à sua vontade

Gideão, ao ser convocado para uma grande tarefa, antes de dizer *sim* pediu dois sinais a Deus.

> Então Gideão disse a Deus: "Se de fato vais me usar para salvar Israel, como prometeste, dá-me uma prova da seguinte forma.

> Hoje à noite, deixarei um pouco de lã na eira, onde se peneiram os grãos. Se pela manhã a lã estiver molhada de orvalho, mas o chão estiver seco, saberei que vais me ajudar a salvar Israel, como prometeste". E foi exatamente o que aconteceu. Na manhã seguinte, bem cedo, Gideão se levantou, espremeu a lã e recolheu uma tigela cheia de água. Então Gideão disse a Deus: "Peço que não fiques irado comigo, mas que me permitas fazer mais um pedido. Deixa-me usar esta lã para mais uma prova. Desta vez, que a lã fique seca e o chão ao redor dela fique coberto de orvalho". Naquela noite, Deus fez o que Gideão havia pedido. Pela manhã, a lã estava seca, mas o chão estava coberto de orvalho.
>
> JUÍZES 6.36-40

Deus não fica zangado quando você demonstra preocupação em não querer decidir apenas por empolgação. Observe que era Deus quem falava com Gideão, mas mesmo assim ele buscou confirmação. O sucesso de sua missão estava no fato de ele lutar com a certeza de estar no centro da vontade do Senhor.

Tenha parceiros de oração

Um dos segredos do sucesso do jovem Daniel na Babilônia é que ele tinha parceiros de oração.

> Daniel foi ver o rei de imediato e pediu mais tempo para comunicar o significado do sonho. Em seguida, Daniel voltou para casa e contou a seus amigos Hananias, Misael e Azarias o que havia acontecido. Pediu que suplicassem ao Deus dos céus que tivesse misericórdia deles e lhes revelasse o segredo, para que não fossem mortos com os outros sábios da Babilônia. Naquela noite, o

segredo foi revelado a Daniel numa visão. Então Daniel louvou o Deus dos céus...

Daniel 2.16-19

A oração é o meio pelo qual Deus revela-nos a sua vontade soberana. A oração nos torna sensíveis para ouvir a orientação da voz divina e nos põe no caminho que Deus quer que trilhemos. É por meio da oração que Deus nos dá sabedoria para tomar decisões acertadas. Você tem um ou mais parceiros de oração, nos quais pode confiar? Se a sua resposta for negativa, comece a orar para que Deus lhe dê companheiros de oração. Isso vai fazer toda a diferença em sua vida.

Lembre-se de que a sua vida é resultado das escolhas que você faz. A cada decisão que tomamos, revelamos muito do nosso caráter e de como será o legado que estamos deixando para os que vierem depois.

SAIBA SAIR

O filho perdido da parábola de Jesus diria: "Eu não errei em sair de casa. Todo filho um dia tem de sair, pois só o casamento é permanente, os filhos são temporários". Ele deve ter agido dessa forma, já que, de fato, muitos não erram em sair de uma igreja para outra, de uma empresa para outra, de uma sociedade em algum negócio, de um noivado, de um namoro... Em que, então, ele falhou? Em dois aspectos: ele saiu no tempo errado e da forma errada.

Ele saiu no tempo errado

Quando o texto diz que ele era o filho "mais jovem" (Lc 15.12), isso nos remete a imaturidade, juventude e falta de experiência de vida. Ou seja, muito provavelmente ele era um rapaz que ainda não estava pronto para sair de casa. Esta tem sido a causa do fracasso de muitas pessoas que estão deixando o lar antes do tempo: precipitação. Às vezes, estão fazendo o certo, mas na hora errada. O próprio Jesus, no exercício de seu ministério, via com seriedade o tempo certo para tomar cada uma das suas decisões. Um dia, quando estava participando de uma festa de casamento, sua mãe, preocupada porque o vinho, como elemento principal da comemoração, havia acabado, intercedeu pelos noivos a seu filho. Jesus, porém, lhe disse: "'Mulher, isso não me diz respeito', respondeu Jesus. 'Minha hora ainda não chegou'" (Jo 2.4). Quando o Senhor está na direção de tudo em nossa vida, não há precipitação.

Ele saiu da forma errada

O jovem exigiu a herança antes da morte do pai, e partiu para uma terra distante. Lá, desperdiçou seu dinheiro, vivendo de forma dissoluta (Lc 15.13-14). Quem não sabe a hora de sair corre o risco de nunca mais voltar ou, se voltar, não encontrar mais aquele a quem feriu profundamente. Quando o filho perdido caiu em si, reconheceu que havia pecado contra o pai e também contra Deus.

Se com o filho perdido aprendemos como não se deve sair, com a jovem Rebeca aprendemos a forma correta: levando a bênção do Senhor.

Se com o filho perdido aprendemos como não se deve sair, com a jovem Rebeca aprendemos a forma correta: levando a bênção do Senhor. Se você entende que chegou o tempo de sair de casa, da igreja em que congrega, da empresa em que trabalha, de uma sociedade de muito tempo, de um namoro ou de um noivado, aqui vai um conselho: nunca saia pela janela, de madrugada, deixando para trás um rastro de decepção e vergonha.

A Bíblia nos conta a história de como Abraão dá ao seu servo de confiança a missão de ir em busca de uma esposa para o seu filho, Isaque. O servo prepara dez camelos e sai. Ao chegar à beira de uma fonte onde as moças iam buscar água, ele faz uma oração, dizendo:

> "Ó Senhor, Deus do meu senhor Abraão, por favor, dá-me sucesso hoje e sê bondoso com o meu senhor Abraão. Como vês, estou aqui junto desta fonte, e as moças da cidade estão vindo tirar água. Esta é minha súplica. Pedirei a uma delas: 'Por favor, dê-me um pouco de água do seu cântaro para eu beber'. Se ela disser: 'Sim, beba. Também darei água a seus camelos', que seja ela a moça que escolheste para ser mulher do teu servo Isaque. Desse modo, saberei que foste bondoso com o meu senhor".
>
> Gênesis 24.12-14

Em seguida, ele depara com Rebeca, e tudo acontece do jeito que solicitara a Deus. O homem pede água à moça, ela atende ao pedido e depois serve todos os seus camelos (v. 6-22). Em seguida, ao ver que o Senhor confirmou que ela era a futura esposa de Isaque, o servo pede para se hospedar em sua casa (v. 23). Ela prontamente o recebe, com toda a família (v. 27-33). No dia seguinte, logo pela manhã, perguntam a Rebeca se ela quer ir com o servo de Abraão para ser esposa de Isaque. Ela aceita (v. 57-58). Chega o momento de ela sair de casa, e a forma como sai é um exemplo para todos nós.

> Chamaram Rebeca e lhe perguntaram: "Você está disposta a ir com este homem?". E ela respondeu: "Sim, estou". Com isso, eles se despediram de Rebeca e a enviaram com o servo de Abraão e seus homens. A serva que havia amamentado Rebeca a acompanhou. Na hora da partida, abençoaram Rebeca, dizendo: "Nossa irmã, que você se torne mãe de muitos milhares! Que seus descendentes conquistem as cidades de seus inimigos!". Então Rebeca e suas servas montaram nos camelos e seguiram o homem. Assim, o servo de Abraão partiu levando Rebeca.
>
> GÊNESIS 24.58-61

Observe que, primeiro, o servo ora pedindo que Deus seja o senhor na decisão a ser tomada. Segundo, apesar da vontade de Deus estar confirmada pelo sinal pedido, todos respeitam o direito da moça de fazer a sua escolha: "Você está disposta a ir com este homem?". E ela responde: "Sim, estou". E, terceiro, eles abençoam Rebeca. Ela saiu com a bênção de Deus, ministrada por sua família!

Leia a história de Rebeca e veja como ela foi um instrumento de Deus ao lado de Isaque para o cumprimento de um propósito grandioso na história do povo de Israel. Todos que saem assim se tornam canal de bênção onde quer que cheguem.

CUIDADO PARA NÃO RECONHECER O VALOR DA FAMÍLIA SÓ QUANDO ESTIVER NO PIOR LUGAR

O filho perdido só se lembrou de quanto o pai, a família e sua casa eram importantes quando estava no pior lugar que um filho de fazendeiro (principalmente judeu), que conhece os piores e melhores lugares de uma propriedade rural, poderia estar: entre os porcos. Foi ali que, num momento de lucidez, ele raciocinou: "Até os empregados de meu pai têm comida de sobra, e eu estou aqui, morrendo de fome. Vou retornar à casa de meu pai e dizer: 'Pai, pequei contra o céu e contra o senhor, e não sou mais digno de ser chamado seu filho. Por favor, trate-me como seu empregado'" (Lc 15.17-19).

Infelizmente, muitos só vão dar conta do valor da família, dos pais e de tudo o que deixaram em casa quando estiverem no pior lugar, acompanhados pelos "porcos", experimentando a dor do desprezo e da vergonha. Outra parábola de Jesus relata o caso de um homem que até se lembrou da família, porém tarde demais:

> Jesus disse: "Havia um homem rico que se vestia de púrpura e linho fino e vivia sempre cercado de luxos. À sua porta ficava um mendigo coberto de feridas chamado Lázaro. Ele ansiava comer o que caía da mesa do homem rico, e os cachorros vinham lamber suas feridas abertas.
>
> Por fim, o mendigo morreu, e os anjos o levaram para junto de Abraão. O rico também morreu e foi sepultado, e foi para o lugar dos mortos. Ali, em tormento, ele viu Abraão de longe, com Lázaro ao seu lado.
>
> O rico gritou: 'Pai Abraão, tenha compaixão de mim! Mande Lázaro aqui para que molhe a ponta do dedo em água e refresque minha língua. Estou em agonia nestas chamas!'.
>
> Abraão, porém, respondeu: 'Filho, lembre-se de que durante a vida você teve tudo que queria e Lázaro não teve coisa alguma. Agora, ele está aqui sendo consolado, e você está em agonia. Além do mais, há entre nós um grande abismo. Ninguém daqui pode atravessar para o seu lado, e ninguém daí pode atravessar para o nosso'.

Então o rico disse: 'Por favor, Pai Abraão, pelo menos mande Lázaro à casa de meu pai, pois tenho cinco irmãos e quero avisá-los para que não terminem neste lugar de tormento'.

'Moisés e os profetas já os avisaram', respondeu Abraão. 'Seus irmãos podem ouvir o que eles disseram.'

Então o rico disse: 'Não, Pai Abraão! Mas, se alguém dentre os mortos lhes fosse enviado, eles se arrependeriam!'.

Abraão, porém, disse: 'Se eles não ouvem Moisés e os profetas, não se convencerão, mesmo que alguém ressuscite dos mortos'".

LUCAS 16.19-31

Muitas pessoas só vão se lembrar de quanto a família era importante quando estiverem no inferno. Para o filho perdido, houve tempo, ele voltou, encontrou seu pai vivo, houve reconciliação, restituição e celebração. Mas nem todos têm a mesma oportunidade. O tempo de dar o devido valor aos pais, aos filhos, ao cônjuge, ao casamento e à família é hoje.

NUNCA É TARDE DEMAIS

Sempre que alguém toma uma decisão errada, além de se perder e, muitas vezes, perder tudo o que tem, é esmagado pelo sentimento de vergonha. E essa vergonha o impede de tomar o caminho de volta. Não deve ser assim! No caso do filho perdido, ele saiu com um terço de toda a herança, mas teria de voltar sem nada, porque havia desperdiçado tudo, e de forma irresponsável. Ele também saiu deixando para trás, ferido, o coração do seu velho pai e, por isso, não sabia qual seria a reação dele ao reencontrá-lo. Ele saiu autoconfiante e cheio de si, mas agora teria de voltar cabisbaixo, reconhecendo que, diante do erro cometido, não era digno de ser recebido nem como filho. Isso nos mostra que o caminho de volta é sempre um caminho de aprendizagem, reconhecimento, libertação do orgulho e superação.

O caminho de volta é sempre de aprendizagem

O tempo que o filho perdido levou para sair do lugar da vergonha até chegar ao lugar da honra foi um período de aprendizagem. Ele estava deixando um lugar onde nunca deveria ter estado e voltando para o local de onde nunca deveria ter saído. As nossas decisões equivocadas nos ensinam que aquilo que não aprendemos em casa, com os pais, a vida acaba nos ensinando de forma dolorosa longe deles.

As nossas decisões equivocadas nos ensinam que aquilo que não aprendemos em casa, com os pais, a vida acaba nos ensinando de forma dolorosa longe deles.

Aprendemos, também, com o filho perdido que precisamos dar mais valor àquilo que custou o preço do suor de outras pessoas. Ele não soube administrar o que não lhe custara nada. Esse tem sido o grande erro de muitos filhos que herdam fortunas de seus pais.

O caminho de volta é sempre de reconhecimento

Voltar é reconhecer o valor da família, de um pai amoroso, gracioso, paciente, perdoador e generoso. Voltar é reconhecer os prejuízos de uma escolha errada e as possibilidades de uma decisão acertada. Voltar é reconhecer que qualquer projeto de vida construído com base em atitudes de rebeldia não prospera. Voltar é reconhecer que o melhor lugar do mundo é perto de Deus e da família.

O caminho de volta é sempre de libertação do orgulho

Quem vence o orgulho destrói uma fortaleza do mal que existe dentro de si. Não é por acaso que a Bíblia diz: "Deus se opõe aos orgulhosos, mas concede graça aos humildes" (Tg 4.6). O filho mais santo, se for dominado pelo sentimento de orgulho, pode se transformar em um "diabo" para os pais e os demais membros da família. Se for casado, pode se transformar num tormento para o cônjuge. O orgulho deforma as pessoas, desumaniza o homem e provoca a ira de Deus. Quando Jesus proferiu o Sermão do Monte, começou dizendo: *"Felizes os pobres de espírito, pois o reino dos céus lhes pertence"* (Mt 5.3). Não sem motivo a Bíblia é rica em advertência quanto ao orgulho (Pv 6.16-17; 11.2; 16.18; 21.4; 1Jo 2.16).

Todos os que decidem voltar atrás a fim de reconciliar-se, reparar, reconstruir e pedir perdão venceram o orgulho e deram o passo decisivo para serem abraçados graciosamente por Deus. Lembre-se de que o Deus que se opõe aos orgulhosos também é o que abraça, levanta, perdoa, socorre, cura, liberta e salva os humildes. A Bíblia diz que a arrogância precede a destruição e a humildade precede a honra (Pv 18.12). Cada passo que o filho perdido dava em direção ao lugar de onde saiu ajudava a eliminar do seu coração o veneno do orgulho. Ele foi se esvaziando de si para reencontrar-se com aquele a quem havia entristecido. O caminho de volta sempre será o daqueles que, diante da grandeza, santidade e suficiência de Deus, reconheceram seus pecados, fracassos, imperfeições e debilidades.

O caminho de volta é sempre o da superação

O desafio para qualquer pessoa que comete um erro nas escolhas que faz é superar a si mesma diante de tantas vozes contrárias que surgem para fazer que ela desista dos seus sonhos, projetos e ideais — e até da própria vida. O diabo é mestre em iludir, enganar, armar seus laços, e, depois que o homem cai na armadilha e desce até o último degrau da escada, ele cria uma atmosfera, envolvendo-o num túnel escuro, sem fim, cheio de pensamentos autodestrutivos.

É como se algumas vozes por dentro dissessem: "Para você, não tem mais jeito. Acabou, este é o seu fim. Você nunca mais vai conseguir encarar seu irmão, seu cônjuge, seu pai, sua família, seus amigos". Superar essas vozes só é possível mediante a compreensão da graça, do amor, da misericórdia e do perdão de Deus. Voltar é superar a si mesmo, encontrando força na graça.

6

PERDÃO

Nenhuma outra história no Antigo Testamento ensina mais sobre o poder curador do perdão em uma família que a de José, filho de Jacó e Raquel. Trata-se de um homem que tem tudo para se deixar destruir por um sentimento de amargura, mas faz a melhor escolha: perdoar.

Odiado por seus irmãos por ser o filho preferido do pai, José é vendido por eles como escravo. Um militar egípcio chamado Potifar o compra para que sirva em sua casa, mas a esposa de seu senhor tenta seduzi-lo. Como José se nega a adulterar contra Deus e Potifar, a mulher se enfurece e o acusa, falsamente, de ter tentado estuprá-la, o que faz que ele seja lançado na prisão. Lá, ele interpreta o sonho de outros dois prisioneiros, o copeiro e o padeiro-mor do faraó. Quando o monarca tem um sonho perturbador, acaba chamando José para interpretá-lo. Ao dar a interpretação do sonho e as instruções para lidar com o problema que este anunciava, José é promovido a governador do Egito.

Depois de um período de fartura, em que a fome chega e assola a região, o que faz que os irmãos de José, sem saber que ele está vivo, desçam ao Egito para comprar alimentos. José os vê e tem uma decisão a tomar: matá-los ou deixá-los com vida, isto é, perdoá-los ou vingar-se deles. Seus irmãos o haviam vendido como escravo, tratando-o como objeto, e não como uma pessoa. Seus irmãos mentiram, dizendo que ele havia sido morto por alguma fera do campo e esconderam do pai a verdade. José, no entanto, faz a melhor opção: ele simplesmente perdoa.

Interessante que, quando Jacó morre, os irmãos pensam que José os chamará para um acerto de contas, a fim de retribuir todo o mal que lhe fizeram. José fica sabendo disso, e sua resposta é absolutamente reveladora do que é um coração perdoador.

> Depois de sepultar Jacó, José voltou para o Egito com seus irmãos e com todos que o haviam acompanhado. Uma vez que seu pai estava morto, porém, os irmãos de José ficaram temerosos e disseram: "Agora José mostrará sua ira e se vingará de todo o mal que lhe fizemos".
>
> Por isso, enviaram a seguinte mensagem a José: "Antes de morrer, nosso pai mandou que lhe disséssemos: 'Por favor, perdoe seus irmãos pelo grande mal que eles lhe fizeram, pelo pecado que cometeram ao tratá-lo com tanta crueldade'. Por isso, nós, servos do Deus de seu pai, suplicamos que você perdoe nosso pecado". Quando José recebeu a mensagem, começou a chorar. Depois, seus irmãos chegaram e se curvaram com o rosto no chão diante de José. "Somos seus escravos!", disseram eles.

> José, porém, respondeu: "Não tenham medo de mim. Por acaso sou Deus para castigá-los? Vocês pretendiam me fazer o mal, mas Deus planejou tudo para o bem. Colocou-me neste cargo para que eu pudesse salvar a vida de muitos. Não tenham medo. Continuarei a cuidar de vocês e de seus filhos". Desse modo, ele os tranquilizou ao tratá-los com bondade.
>
> Gênesis 50.14-21

José perdoa os irmãos. Curiosamente, a Bíblia não diz nada sobre a esposa de Potifar. Afinal, José poderia dizer, assim que assumiu o poder e se tornou o segundo homem mais poderoso do Egito: "Chamem Potifar e sua mulher, pois é chegado o tempo do acerto de contas". Ao que tudo indica, porém, José perdoou a mulher do militar egípcio. Do mesmo modo, ele não tomou nenhuma atitude má com relação ao copeiro que o esquecera de forma ingrata na prisão, quando ele havia interpretado seu sonho.

Sempre que paramos para refletir sobre o perdão, algumas perguntas precisam ser respondidas, pois é impossível conviver com alguém sem praticar essa arte. José tinha mente larga, pele grossa e coração mole. Se ele fosse como certos cristãos, hipersensíveis, sua história seria pequena, sua vida seria marcada pela insignificância. Ele não chegaria aonde chegou! Se você quiser construir uma história semelhante à de José, tenha mente larga, pele grossa e coração mole para dizer: "Eu te perdoo!". Vejamos exatamente o que significa perdoar.

- Perdoar é reconhecer que só Deus tem o direito de julgar.
- Perdoar é desativar o mecanismo de violência que existe dentro e fora de nós.

- Perdoar é reconhecer as próprias imperfeições, falhas e pecados.
- Perdoar é ser grato a Deus pelo perdão recebido.
- Perdoar é repetir com o próximo o gesto de Deus para conosco.
- Perdoar é oferecer amor quando não há motivo para amar.
- Perdoar é manter abertos os canais por onde fluem a confiança e o amor incondicional.
- Perdoar é uma reação positiva para com a ofensa, em vez de ser uma reação negativa contra o ofensor.
- Perdoar é tomar a decisão de não levantar mais a ofensa perante três pessoas: Deus, o outro e você mesmo.
- Perdoar é semear a misericórdia.
- Perdoar é dominar as emoções.
- Perdoar é deixar livre, soltar, liberar, mandar embora, atribuir favor incondicional àquele que nos feriu.
- Perdoar é chegar diante de quem o feriu e dizer: "Você não me deve mais nada porque eu estou rasgando a conta".
- Perdoar é pegar todo o lixo emocional e jogá-lo fora.

O perdão é a virtude central do cristianismo, pois é uma atitude que gera a possibilidade de convivência. Quem de nós não experimenta ofensa todos os dias? Por exemplo, quando um filho não honra e respeita o pai, o está ofendendo. O que todo marido espera da esposa? Reverência. O marido não respeitado vive pela metade. O que toda mulher espera do marido? Carinho, aconchego, atenção personalizada. Quando isso não vem, ela se sente ofendida. O que todo filho espera dos pais? Atenção, afeto, carinho, um ouvidor. Quando isso não acontece, os filhos se sentem ofendidos.

Você já notou como a mulher se sente ofendida quando o marido esquece uma data que para ela é importante? Dia do aniversário, aniversário de casamento ou outra data que ela considere especial? Toda mulher espera ser surpreendida com uma atitude diferenciada numa data importante e, quando sua expectativa é frustrada, ela se sente ofendida!

> *Você já notou como a mulher se sente ofendida quando o marido esquece uma data que para ela é importante?*

A ingratidão de um amigo, a palavra áspera de um filho; ofensas, ofensas e mais ofensas! É por isso que o perdão é a única possibilidade da convivência. O que teria acontecido se José não perdoasse seus irmãos, a mulher de Potifar e o copeiro do rei? O que teria acontecido se José não praticasse a arte do perdão?

POR QUE NÃO PERDOAR É PERIGOSO?

Deixar de perdoar quando se tem a possibilidade de fazê-lo é uma atitude muito perigosa. Veremos a seguir as razões.

A falta de perdão gera amargura

Amargura prolongada causa doenças psicossomáticas, como úlcera, pressão alta e descargas de adrenalina por causa da associação com a ira.

A falta de perdão dá ao diabo liberdade para atacar a pessoa

Quem não perdoa dá a Satanás liberdade para provocar depressão. Essa depressão pode levar à opressão, que, por sua vez, pode levar à possessão demoníaca. Dá para entender por que Paulo escreveu: "Se vocês perdoam esse homem, eu também o perdoo. E, quando eu perdoo o que precisa ser perdoado, faço-o na presença de Cristo, em favor de vocês, para que Satanás não tenha vantagem sobre nós, pois conhecemos seus planos malignos" (2Co 2.10-11). Em outras palavras, Paulo está dizendo: "Eu perdoo vocês para não ser vencido pelo diabo!".

Quem não perdoa desenvolve um câncer na alma

Paulo chama isso de "amargura" e afirma que devemos perdoar uns aos outros, como também Deus, em Cristo, nos perdoou (Ef 4.31-32). E mais, veja o que diz o escritor de Hebreus: "Cuidem uns dos outros para que nenhum de vocês deixe de experimentar a graça de Deus. Fiquem atentos para que não brote nenhuma raiz venenosa de amargura que cause perturbação, contaminando muitos" (Hb 12.15).

Não perdoar prejudica nosso relacionamento com Deus

É por isso que o apóstolo João dá a entender que quem não perdoa anda nas trevas:

> Mas, se vivemos na luz, como Deus está na luz, temos comunhão uns com os outros, e o sangue de Jesus, seu Filho, nos purifica de todo pecado. Se afirmamos que não temos pecados, enganamos a nós mesmos e não vivemos na verdade. Mas, se confessamos nossos pecados, ele é fiel e justo para perdoar nossos pecados e nos purificar de toda injustiça.
>
> 1João 1.7-9

A falta de perdão mantém a pessoa presa

Quem não perdoa fica preso em sua cela particular, sem conseguir desfrutar de tudo o que Deus lhe tem reservado. Jesus relatou uma parábola que fala sobre isso:

> Então Pedro se aproximou de Jesus e perguntou: "Senhor, quantas vezes devo perdoar alguém que peca contra mim? Sete vezes?".
>
> Jesus respondeu: "Não sete vezes, mas setenta vezes sete.
>
> Portanto, o reino dos céus pode ser comparado a um senhor que decidiu pôr em dia as contas com os servos que lhe deviam. No decorrer do processo, trouxeram diante dele um servo que lhe devia sessenta milhões de moedas. Uma vez que o homem não tinha como pagar, o senhor ordenou que ele, sua esposa, seus filhos e todos os seus bens fossem vendidos para quitar a dívida.
>
> O homem se curvou diante do senhor e suplicou: 'Por favor, tenha paciência comigo, e eu pagarei tudo'. O senhor teve compaixão dele, soltou-o e perdoou-lhe a dívida.
>
> No entanto, quando o servo saiu da presença do senhor, foi procurar outro servo que trabalhava com ele e que lhe devia cem moedas de prata. Agarrou-o pelo pescoço e exigiu que ele pagasse de imediato.
>
> O servo se curvou diante dele e suplicou: 'Tenha paciência comigo, e eu pagarei tudo'. O credor, porém, não estava disposto a esperar. Mandou que o homem fosse lançado na prisão até que tivesse pago toda a dívida.
>
> Quando outros servos, companheiros dele, viram isso, ficaram muito tristes. Foram ao senhor e lhe contaram tudo que havia acontecido. Então o senhor chamou o homem cuja dívida ele havia perdoado e disse: 'Servo mau! Eu perdoei sua imensa

dívida porque você me implorou. Acaso não devia ter misericórdia de seu companheiro, como tive misericórdia de você?'. E, irado, o senhor mandou o homem à prisão para ser torturado até que lhe pagasse toda a dívida.

Assim também meu Pai celestial fará com vocês caso se recusem a perdoar de coração a seus irmãos".

MATEUS 18.21-35

Quando alguém não perdoa, Deus não lhe estende perdão.

Quem não perdoa alegra os demônios

A Bíblia estabelece: "Livrem-se de toda amargura, raiva, ira, das palavras ásperas e da calúnia, e de todo tipo de maldade. Em vez disso, sejam bondosos e tenham compaixão uns dos outros, perdoando-se como Deus os perdoou em Cristo" (Ef 4.31-32). Essa passagem deixa claro que a pessoa que não perdoa faz do seu coração uma vasilha cheia de tudo aquilo que alegra os demônios.

> *A pessoa que não perdoa faz do seu coração uma vasilha cheia de tudo aquilo que alegra os demônios.*

Os demônios se alegram com mágoas, ressentimentos, raiz de amargura e desejo de vingança, entre outros sentimentos, posturas e atitudes perniciosos, negativos e autodestrutivos. Você não foi feito para isso! Você precisa ser cheio de tudo aquilo que agrada ao Senhor!

Quem não perdoa destrói a ponte de que um dia vai precisar para chegar ao outro lado

Cedo ou tarde, todos precisaremos atravessar algum portal, na terra ou no céu. Se não perdoarmos, não teremos como atravessar os portais da eternidade.

Quem não perdoa se torna prisioneiro do passado

Essa prisão exclui todo potencial de mudança e crescimento da pessoa. Assim, ela transfere ao inimigo o controle da sua vida e passa a sofrer as consequências dos seus erros. Hoje é o seu dia de cura e de libertação, se você decidir perdoar! Eu creio no poder do sangue vertido na cruz do Calvário e que, por meio dele, podemos triunfar sobre o diabo e o pecado. Você não tem noção do que acontece no mundo espiritual, com projeções no mundo material, quando você começar a dizer assim: "Eu perdoo!".

O perdão lava a alma

Jesus lavou os pés dos discípulos. Lavou os pés de Pedro, Filipe, João, Tiago, André e... de repente, ele se vê diante dos pés de Judas. Ele sabia que aquele homem o trairia, mas, ainda assim, se abaixa, tira as sandálias dos pés do traidor, lava-os e os enxuga com a toalha.

Você está pronto para lavar os pés do Judas da sua casa? Ou daquele que está querendo prejudicá-lo? Jesus não menosprezou os pés de Judas. E, ao lavar os pés do traidor, a mensagem para ele era: "Você desistiu de mim, mas eu não desisti de você! Se você se arrepender, Judas, eu estou pronto a perdoá-lo".

Você está pronto para lavar os pés do Judas da sua casa? Ou daquele que está querendo prejudicá-lo?

Lembro-me de um marido que foi muito tocado por Deus em uma de nossas reuniões. Durante a noite seguinte, ele ficou pensando: "Meu Deus, tenho sido estúpido. Minha esposa tem sofrido e chorado muito por minha causa. Meu Deus, eu tenho sido um marido ausente, indiferente. Tenho me comportado grosseiramente, como um cavalo. Imagino como deve estar a alma da minha mulher e dos meus filhos! Tenho sido alguém que minha família não merece ter. Eu não presto. Apesar de estar na igreja, eu valho muito pouco. E, se tu falaste comigo, é porque preciso mudar".

Assim, de manhã cedo, aquele homem tomou uma bacia com água e uma toalha, foi até a sala, chamou a esposa e lhe disse: "Querida, sente-se aqui nesta poltrona". Ela se sentou. Abaixando-se, ele tirou a sandália da esposa e, regando os pés dela com lágrimas, lhe disse: "Tenho de lhe pedir perdão, mas não é um perdão qualquer. Quero pedir perdão lavando os seus pés". Ele começou a lavar os pés dela, dizendo: "Perdoe-me! Perdoe-me pela minha ausência, pela minha estupidez, pelas vezes em que a agredi fisicamente. Perdoe a minha infidelidade e a minha incompreensão".

A mulher começou a chorar junto com ele, e aquela casa passou a experimentar um processo de cura e de restauração. Depois daquele episódio, a casa nunca mais foi a mesma. A graça de Deus desinstalou Satanás e entronizou o Príncipe da Paz naquele relacionamento.

* * *

As oportunidades estão passando! O melhor de Deus para a sua vida está passando! E, enquanto isso, você está enroscado no seu passado, tentando se desenroscar. Já se passaram dez anos e você continua vivendo no passado, todo enrolado. Tem a ver com o seu pai, com a sua mãe, com o seu ex-namorado, com o seu ex-patrão ou com o seu ex-pastor. Você está tentando se desenroscar e só fala nisso. Essa situação mina suas energias, tira seu foco da própria vida e o faz perder de vista a razão de existir. Com isso, você está minguando espiritualmente.

Porém, chegou o tempo de você cortar essa linha e lançar o seu anzol em outra direção, porque Deus tem algo maior, melhor e mais novo! O seu futuro vai ser tão grandioso em Deus que o seu passado parecerá pequeno! Chegou o tempo de cortar a linha. Você está pronto para romper com algumas coisas do seu passado? Está pronto para não levantar mais esse assunto? Está pronto para jogar todo o lixo fora? Está pronto para experimentar uma nova dimensão de vida?

Tem muita gente precisando perdoar o pai que já morreu, a nora, o genro, o marido que foi embora. Há pessoas que necessitam urgentemente perdoar a filha que ficou grávida dentro de casa sem se casar. Quem não perdoa se fecha para a vida de Deus. Quem não perdoa revela egoísmo, indiferença e hipocrisia. Sem perdão o processo de reconstrução para. O perdão é a faxina do coração, a reconquista do amor e a cura para memórias amargas.

O perdão é a vitória de Deus sobre o diabo. Por isso, Jesus disse na cruz: "Pai, perdoa-lhes, pois não sabem o que fazem" (Lc 23.34).

7

MANUTENÇÃO

Quando o assunto é o seu dinheiro, o que você pensa determina o que diz; o que você diz determina o que faz; e o que você faz constrói o seu destino financeiro. Esse assunto não é espiritualmente fútil ou desprezível, tanto que Jesus não excluiu dos seus ensinamentos a questão da administração monetária.

Ao longo dos anos, ouvi muita gente dizer que achava não ter o bastante. Ouvi histórias de tristeza, desesperança e desespero de pessoas confrontadas com os fatos da vida financeira que criaram. Existe uma vasta diferença entre encarar a realidade, por pior que possa estar sua situação financeira no momento, e pensar que não pode fazer nada a respeito dela. Na parábola dos três servos, Jesus exaltou os dois servos que souberam administrar e fazer multiplicar o dinheiro. Já o que agiu com irresponsabilidade foi severamente criticado.

> O reino dos céus também pode ser ilustrado com a história de um homem que estava para fazer uma longa viagem. Ele reuniu seus servos e lhes confiou seu dinheiro, dividindo-o de forma

proporcional à capacidade deles: ao primeiro entregou cinco talentos; ao segundo, dois talentos; e ao último, um talento. Então foi viajar.

O servo que recebeu cinco talentos começou a investir o dinheiro e ganhou outros cinco. O servo que recebeu dois talentos também se pôs a trabalhar e ganhou outros dois. Mas o servo que recebeu um talento cavou um buraco no chão e ali escondeu o dinheiro de seu senhor.

Depois de muito tempo, o senhor voltou de viagem e os chamou para prestarem contas de como haviam usado o dinheiro. O servo ao qual ele havia confiado cinco talentos se apresentou com mais cinco: "O senhor me deu cinco talentos para investir, e eu ganhei mais cinco".

O senhor disse: "Muito bem, meu servo bom e fiel. Você foi fiel na administração dessa quantia pequena, e agora lhe darei muitas outras responsabilidades. Venha celebrar comigo".

O servo que havia recebido dois talentos se apresentou e disse: "O senhor me deu dois talentos para investir, e eu ganhei mais dois".

O senhor disse: "Muito bem, meu servo bom e fiel. Você foi fiel na administração dessa quantia pequena, e agora lhe darei muitas outras responsabilidades. Venha celebrar comigo".

Por último, o servo que havia recebido um talento veio e disse: "Eu sabia que o senhor é homem severo, que colhe onde não plantou e ajunta onde não semeou. Tive medo de perder seu dinheiro, por isso o escondi na terra. Aqui está ele".

O senhor, porém, respondeu: "Servo mau e preguiçoso! Se você sabia que eu colho onde não plantei e ajunto onde não semeei, por que não depositou meu dinheiro? Pelo menos eu teria recebido os juros.

Em seguida, ordenou: "Tirem o dinheiro deste servo e deem ao que tem os dez talentos. Pois ao que tem, mais lhe será dado, e terá em grande quantia; mas do que nada tem, mesmo o que não tem lhe será tomado. Agora lancem este servo inútil para fora, na escuridão, onde haverá choro e ranger de dentes".

MATEUS 25.14-30

A parábola dos três servos nos ensina lições de administração financeira. Ao construir a parábola, Jesus dá ênfase à capacidade administrativa dos dois homens que dobraram o recurso recebido. Aquele que não foi capaz de fazer o mínimo necessário para aumentar o dinheiro recebido foi tratado com muito rigor pelo seu senhor.

Em uma enquete feita no *site* do nosso ministério, perguntamos: *Qual é a área que você acha que mais precisa melhorar no seu casamento?* Das 2.225 pessoas que participaram, 28% responderam "administração financeira". Muitos casais ainda não se deram conta de que um dos segredos dos casamentos bem-sucedidos é a forma como o casal administra a vida financeira. O desequilíbrio econômico gera conflitos intermináveis na relação conjugal.

Observe que, na parábola de Jesus, aquele que recebeu um talento abriu uma cova e o enterrou, por causa do medo. É normal ter medo; o que não é normal é ser dominado por esse sentimento. Aquele homem não dobrou o capital e, na hora da prestação de contas, foi tratado com muita severidade e ouviu do seu senhor uma dura reprimenda. O que se esperava dele? Que administrasse os recursos de forma inteligente e, com isso, prosperasse. O mesmo comportamento tem sido o de muitos maridos; por isso as esposas reclamam, dizendo: "Meu marido não está só enterrando o dinheiro; ele está também enterrando o nosso casamento e, junto, a família". Muitas vezes, não é o marido, mas a esposa, quem está abrindo um buraco para enterrar o dinheiro, o casamento e a família, por causa de suas atitudes erradas no trato com os recursos. A má administração compromete o bem-estar da família porque, quando um de seus integrantes deve, toda a família deve.

Se não buscarmos entendimento, inteligência e sabedoria de Deus para administrar melhor nossas finanças, ouviremos do Senhor a mesma coisa: "Servo mau e preguiçoso!". Veja como a parábola termina: "Tirem o dinheiro deste servo e deem ao que tem os dez talentos. Pois ao que tem, mais lhe será dado, e terá em grande quantia; mas do que nada tem, mesmo o que não tem lhe será tomado" (v. 28-29). Aqueles que não administram com sabedoria acabam fazendo que os que têm muito acabem tendo mais ainda! Porque na parábola o próprio senhor ordena que tirem o que aquele homem estava administrando e repassem para quem tem mais. Por quê? Porque quem age assim acabará perdendo até o que tem. Onde está o segredo para agir bem? Na capacidade de administrar os recursos com inteligência.

A má administração compromete o bem-estar da família porque, quando um de seus integrantes deve, toda a família deve.

A passagem bíblica sobre a ajuda que o profeta Eliseu estende a uma viúva nos dá um ensinamento precioso sobre educação financeira.

> Certo dia, a viúva de um dos membros do grupo de profetas foi pedir ajuda a Eliseu: "Meu marido, que o servia, morreu, e o senhor sabe como ele temia o Senhor. Agora, veio um credor que ameaça levar meus dois filhos como escravos".

"O que posso fazer para ajudá-la?", perguntou Eliseu. "Diga-me, o que você tem em casa?"

"Não tenho nada, exceto uma vasilha de azeite", respondeu ela.

Então Eliseu disse: "Tome emprestadas muitas vasilhas de seus amigos e vizinhos, quantas conseguir. Depois, entre em casa com seus filhos e feche a porta. Derrame nas vasilhas o azeite que você tem e separe-as quando estiverem cheias".

A viúva seguiu as instruções de Eliseu. Seus filhos traziam vasilhas, e ela as enchia. Logo, todas estavam cheias até a borda.

"Traga mais uma vasilha", disse ela a um dos filhos.

"Acabaram as vasilhas!", respondeu ele. E o azeite parou de correr.

Quando ela contou ao homem de Deus o que havia acontecido, ele lhe disse: "Agora venda o azeite e pague suas dívidas. Você e seus filhos poderão viver do que sobrar".

2Reis 4.1-7

Um dos discípulos do profeta morre e deixa uma grande dívida a ser paga. O credor vai cobrar a viúva e ameaça tomar seus filhos como escravos. Ela, porém, faz o que qualquer mãe amorosa faria: recusa a proposta e vai até o profeta Eliseu em busca de uma orientação sobre como agir diante daquela crise. E, ao seguir as orientações dele, consegue resolver o problema. Depois que ela alcança o milagre da provisão, procura o profeta para saber como administraria o recurso enviado sobrenaturalmente por Deus. Ele a orienta, então, a vender o azeite, pagar a dívida e, depois, viver do que sobrar. Aqui temos alguns princípios que devemos aprender.

Aquela mulher tinha Eliseu como o seu mentor, por isso buscou dele uma orientação sobre o que fazer diante da crise em que se encontrava. É quando ele lhe dá uma instrução: "Agora venda o azeite e pague suas dívidas. Você e seus filhos poderão viver do que sobrar". Nessa circunstância específica, o profeta não diz: "Seja solidária, generosa e liberal. Pegue todas as vasilhas com azeite e leve para um asilo ou orfanato". Não. Muitas pessoas estão fazendo tudo errado, porque ainda não entenderam que para todo propósito há um tempo determinado por Deus. Há o tempo de doar e o de vender. Qual era esse tempo na vida da viúva? Era o tempo de vender. Portanto, nunca doe quando deve vender. E nunca venda quando deve doar.

Certo dia, senti muita vontade de doar um carro meu para uma missionária. Se eu vendesse, acredito que teria problemas. Não era tempo de vender, mas sim de doar. De igual modo, para a viúva, aquele não era um tempo de doar, mas de vender — e vender bem, porque, depois de pagar a dívida, a sobra tinha de ser suficiente para que a família seguissesse vivendo. O profeta disse "venda... pague". Essa é uma regra básica.

Muitas pessoas não sabem fazer bons negócios e, por isso, só perdem. Compram um carro por dez mil reais e o vendem por cinco mil. Como consequência, estão sempre devendo. Ou o indivíduo consegue comprar por oitenta mil reais uma casa que valia cento e vinte mil. Nessa compra, veio junto quarenta mil de "azeite", de "lucro"! Uma maravilhosa bênção. É tempo de usufruir desse azeite, de administrar e prosperar quando revender o imóvel. Porém, se essa pessoa negocia por 75 mil na hora de vender, jogou fora o "azeite", não teve a sabedoria suficiente para fazer um bom negócio. O segredo é saber usar bem a bênção que Deus põe em nossas mãos. O senhor da parábola entregou cinco talentos para um servo, dois talentos para outro e um talento para o terceiro. No nosso caso, quem nos dá recursos é Deus! Portanto, negocie com critério e responsabilidade! Não jogue fora o que o Senhor lhe deu!

Quando for momento de dar, dê; mas, quando for para negociar, procure ganhar o máximo possível, porque foi Deus quem lhe confiou esse talento a fim de que você o administre com inteligência e sabedoria, visando à multiplicação. Temos a obrigação de fazer crescer o que recebemos, e isso depende de nós.

O segredo é saber usar bem a bênção que Deus põe em nossas mãos.

Ao ser procurado pela viúva, o profeta disse-lhe que vendesse o azeite, mas não se esquecesse de pagar sua dívida. Deus não abençoa pessoas que negligenciam os compromissos e, por isso, vivem enroladas. Ele não tem compromisso com aqueles que, por falta de integridade, não pagam o que devem. O Senhor pesa muito a intenção do coração; por isso, se você tem alguma pendência financeira, pague o seu cheque sem fundo, a farmácia, o supermercado, o banco, seu irmão, seu cunhado ou o que for. Limpe o seu nome se estiver no Serasa. Esse é o caminho da bênção de Deus em nossa vida. Retraduzindo o texto bíblico, o profeta estava querendo dizer à viúva: "Deus a abençoou, mas lembre-se de que há alguém para quem seu marido ficou devendo. Pague e fique em paz, pois você vai viver com o que sobrar, porque Deus tem compromisso com gente séria, íntegra e honesta".

Seja ético, negocie, ganhe o que for possível sem mentir nem enganar, sem esconder aquela verdade que pode até dificultar o negócio. Aja com sabedoria e inteligência e viva debaixo das bênçãos do Senhor.

PRINCÍPIOS BÁSICOS DE ECONOMIA DOMÉSTICA

A prática de certos princípios leva à tranquilidade financeira. Quem administra recursos precisa ter sempre em mente atingir certos critérios que definem uma educação financeira pessoal competente. São eles: planejamento, alvos, metas e missão. Esse administrador deve buscar desenvolver qualidades como visão, autodisciplina, determinação, coragem e generosidade.

De todas essas qualidades, a capacidade de planejar bem é uma das mais fundamentais. Planejar é o mesmo que elaborar um plano consciente, responsável e sólido. Um planejamento financeiro pessoal bem elaborado tende a fornecer resultados que concretizem a aquisição de patrimônio capaz de trazer segurança para a família, além da conquista de objetivos (como educação dos filhos, manutenção de um padrão de vida, viagens e compra de veículos e imóveis).

A educação financeira ainda é um terreno pouco ou inteiramente desconhecido da maioria das pessoas. Usar a razão, e não a emoção, é o primeiro passo numa longa viagem, que, se não for bem planejada, causará problemas. No âmbito familiar, há a tendência de encarar o planejador como aquele que impõe o desagradável corte de gastos, e é um desafio para quem administra fazer que o enxerguem como parceiro para superar descontroles pontuais e, juntos, conseguirem atingir as metas propostas de realização financeira.

O planejamento envolve renda, investimentos, despesas, patrimônio, dívidas e tudo o que venha a contribuir para o sucesso ou o fracasso do orçamento familiar. Algumas pessoas se limitam somente a "gastar menos do que ganham", mas é necessário ter uma visão ampla dos objetivos, sem a qual o barco financeiro perde o rumo, quando não encalha em alguma situação imprevista ou, no pior caso, naufraga. A visão nítida dos alvos também tem por objetivo identificar as oportunidades e, principalmente, as dificuldades de cada item, definindo com antecedência as estratégias para enfrentar cada situação e levando o administrador dos recursos a ser um realizador, e não apenas um sonhador.

Nessa jornada, é possível cometer erros comuns. É errado, por exemplo, acreditar que é preciso aguardar momentos de crise para começar um planejamento financeiro pessoal. Também não se deve confundir planejamento com investimento; achar que esse tipo de planejamento é somente para quem tem muito dinheiro; ou aguardar a idade avançada para começar a pensar nisso. Lembre-se: o planejamento financeiro pessoal é um plano de ação que deve nortear a vida daquele que administra os recursos.

Há muitas razões que demonstram como é essencial se dedicar a um planejamento. Entre elas:

- Pensa melhor quem pensa de forma antecipada.
- Quem planeja sempre sabe aonde quer chegar e consegue estabelecer objetivos claros.
- Uma pessoa desorganizada dificilmente alcançará sucesso financeiro na vida.
- O planejamento torna o seu tempo mais produtivo, pois é possível fazer mais em menos tempo.
- Planejar é administrar com base na excelência.
- Planejamento permite crescimento.
- A ordem com a qual Deus criou tudo demonstra um planejamento estratégico (cf. Gn 1—2).

O planejamento tem início na elaboração de uma planilha de orçamento familiar, que não se restringe a anotar as despesas realizadas, e sim a classificá-las, identificando as prioridades, montando o planejamento e, finalmente, controlando o fluxo de caixa. Comece identificando de onde vêm todos os recursos e quais são seus valores. Em seguida, identifique para onde está indo seu dinheiro. Por exemplo: liste as despesas fixas (como energia elétrica, gás, água, telefone, aluguel, condomínio, transporte escolar, educação escolar, seguro-saúde, alimentação, combustíveis e previdência privada), as despesas eventuais (como remédios, lazer, cabeleireiro, prestações, impostos, assistência médica, taxas, aniversários, cheques pré-datados, dívidas e cartões de crédito) e as despesas sazonais (como matrículas na escola, compra de uniformes dos filhos, cursos de aperfeiçoamento profissional, licenciamento de veículos, seguros, presentes a serem adquiridos em datas especiais, manutenção de veículos, viagens em feriados e férias da família).

O planejamento tem início na elaboração de uma planilha de orçamento familiar, que não se restringe a anotar as despesas realizadas, e sim a classificá-las, identificando as prioridades, montando o planejamento e, finalmente, controlando o fluxo de caixa.

Depois da elaboração do orçamento familiar, o passo seguinte é distribuir esses valores, tanto os das entradas como os das saídas de dinheiro, durante todos os meses do ano. Anote as entradas e subtraia delas as saídas. O resultado pode ser positivo (vai sobrar dinheiro) ou negativo (vai faltar dinheiro). Com a percepção possibilitada por esse orçamento, pode ser necessário fazer ajustes, identificando os gastos que podem ser eliminados ou reduzidos.

O grande segredo do planejamento é a adequação das duas despesas às receitas, com base na sua realidade de vida. Não adianta ser apenas otimista, pois é absolutamente necessário ser realista. Não há como gastar mais do que se ganha, pois o resultado será sempre o mesmo: dívidas, venda de bens, processos, nome sujo na praça, inimizades, desavenças, sacrifício familiar e outras consequências negativas.

Planeje as suas despesas de acordo com a sua receita, não se esquecendo de deixar sempre uma margem para despesas eventuais não previstas, porém importantes. É a receita que determina quais serão as despesas, e não o contrário!

Se houver resultado positivo no seu planejamento, é hora de pensar em investimentos, que podem ser de curto prazo (como viagens, férias, compra de veículos, pintura e reforma da residência) ou de longo prazo (como aquisição de propriedades, ações e participações em empresas). Para elaborar e revisar periodicamente seu planejamento financeiro, tenha sempre em mente três pontos básicos: alvos (o que se quer ter e onde se quer chegar em termos financeiros), metas (como chegar, alcançar e manter os alvos) e missão (como realizar o que foi planejado).

47 DICAS FUNDAMENTAIS DE ECONOMIA DOMÉSTICA

Gostaria de compartilhar 47 sugestões que, se adotadas na prática, podem ser de inestimável valor para a gestão dos recursos de sua família.

1. O processo de aprendizagem da educação financeira leva tempo, por isso não desista nunca: ninguém nasce sabendo; o segredo é estar sempre aberto para aprender.

2. Antes de comprar, faça cinco perguntas: O que comprar? Por que comprar? Quando comprar? Onde comprar? Como comprar?
3. Não tome decisões financeiras apenas com base na opinião dos outros. O bom administrador tem personalidade e opinião própria, apesar de respeitar opiniões sensatas de outras pessoas.
4. Não compre só porque todos estão comprando; cuidado com aquilo que está na moda.
5. Não ande com um valor alto de dinheiro trocado no bolso.
6. Faça um planejamento financeiro.
7. Estabeleça alvos fixos e flutuantes de curto e longo prazos.
8. Tenha sempre uma reserva para atender a uma eventual necessidade.
9. Aprenda com os erros dos outros.
10. Não seja escravo das pequenas manias, pois isso pode corroer suas economias.
11. Sempre peça desconto.
12. Leia os contratos antes de assinar.
13. Não faça um empréstimo de longo prazo para dar um presente.
14. Sonhe grande, mas tenha humildade para começar pequeno.
15. Evite a todo custo pegar dinheiro com agiotas.
16. Não seja fiador, principalmente daquelas pessoas que você sabe que não inspiram confiança (cf. Pv 11.15).
17. Cuidado com as ofertas de "dinheiro fácil".

18. Saiba qual é a diferença entre gasto e investimento. Quando você compra o supérfluo, isso é gasto; quando você compra aquilo que é para o seu crescimento, seja em que área for, é investimento.
19. Seja criterioso, mas nunca avarento. A saúde está no equilíbrio.
20. Lembre-se: tudo o que vale a pena na vida exige sacrifício.
21. Nunca empreste uma ou mais folhas de cheque em branco, nem para o seu melhor amigo ou irmão.
22. Tenha uma lista de prioridades.
23. Quando você faz, em vez de comprar, você economiza.
24. Quando se compra fora de época (roupa de verão no inverno, por exemplo), se economiza.
25. Nunca entre no supermercado para fazer compras quando estiver com fome.
26. Cuidado com aquela companhia que não compra nada e induz você a comprar tudo.
27. Pagando à vista se consegue obter descontos maiores e não se sofre o estresse de prover todo mês os recursos necessários.
28. Em compras a prazo, é necessário verificar as taxas de juros. No parcelamento "sem juros", verifique sempre se não há diferença entre o valor total das parcelas e o valor à vista.
29. Pagamento com cartão de crédito pode ser um péssimo negócio se você não for liquidar integralmente a fatura na sua apresentação, em razão dos altos juros.
30. Se os cartões de crédito são o seu problema, destrua-os todos.

31. Tenha coragem e humildade para desistir de um negócio que você descobriu ser um barco furado.
32. Esteja sempre envolvido em um projeto que o ajude a fazer investimentos pensando em longo prazo.
33. Pratique o princípio da generosidade.
34. Não gaste mais do que ganha.
35. Não faça extravagâncias em direções erradas.
36. Crie o hábito de escrever tudo o que é importante para você.
37. Seja um dizimista fiel.
38. Não espere gratidão das pessoas, mas seja grato sempre.
39. Tenha uma programação diária dos seus gastos. Ter um mapa que nos oriente onde e como estamos gastando o dinheiro é determinante para que alcancemos o equilíbrio financeiro.
40. Cuidado com refeições constantes nos restaurantes. Isso pode corroer sua economia e atrasar seus projetos.
41. Dê importância às grandes decisões, mas não despreze as pequenas.
42. Não faça sociedade com pessoas erradas.
43. Nunca seja imediatista; pense no longo prazo.
44. Não trabalhe só pelo dinheiro. Leve em conta sua realização profissional.
45. Esteja sempre envolvido em um projeto que o ajude a fazer investimentos para o futuro.
46. Cuidado com as suas palavras. O que você diz pode ajudar ou prejudicar a sua administração.
47. Cuidado com o desperdício.

8

CELEBRAÇÃO

O assunto agora é sexualidade. Sempre que falamos sobre esse tema, é bom lembrar que ele está a serviço da espécie, mais especificamente a serviço do ser humano, com suas marcas típicas de racionalidade, liberdade e responsabilidade. Se o gênero é a conformação fisiológica particular que distingue o macho da fêmea nos animais e nos vegetais, a sexualidade é a dimensão psíquica da personalidade ativada pelo sexo.

Infelizmente, é possível duas pessoas almoçar, jantar e dormir juntas por anos sem ser íntimas uma da outra. A realidade é que muitos casais não crescem em intimidade, algo que se conquista em um processo gradual de conhecimento e relacionamento mútuos. É necessário falar de intimidade antes de falar de sexo. Muitos casais estão praticando o ato conjugal (sexo) sem intimidade.

Na realidade, um bom casamento produz relacionamento sexual com qualidade, e não o contrário. Antes de o marido aprender a abrir a porta do quarto para a esposa, precisa abrir a porta do restaurante, puxar a cadeira e servi-la à mesa.

Um bom casamento não começa nem termina no quarto. Muitos casais não crescem em intimidade, nem se ajustam sexualmente, em razão de fatores como influência negativa da mídia e conceitos errados sobre sexo.

Existem muitos obstáculos para a felicidade sexual. Indico a seguir onze deles:

Muita crítica e ausência de apreciação, elogio. A crítica excessiva bloqueia o processo de crescimento da intimidade, enquanto o elogio faz florescer a intimidade entre o casal.

Acúmulo de ressentimentos. O tédio conjugal é quase sempre a máscara que esconde um mundo de ira e de ressentimentos que jamais foram expressos abertamente, porque as pessoas não andam na luz. Só os que andam na luz são capazes de dizer as coisas como elas são. O caminho para a cura dos ressentimentos é o perdão.

Falta de comunicação. Não há intimidade sem comunicação, e sexo sem intimidade é um relacionamento meramente superficial.

Desconfiança mútua. Ciúme excessivo é sinal de complexo de inferioridade e autoimagem deficiente. Quando a pessoa não é capaz de confiar em ninguém, principalmente no cônjuge, é porque não possui autoconfiança, e isso bloqueia a intimidade sexual.

Insegurança quanto à aparência física. Ocorre quando se tem um conceito negativo do corpo, por causa dos padrões que se estabelecem numa sociedade em que, em geral, os valores estão invertidos. A autorrejeição é um dos males mais comuns de nossos dias. Os homens se preocupam com o tamanho do seu pênis e as mulheres com o tamanho dos seios. Algumas pessoas se concentram durante o ato sexual nas próprias imperfeições físicas, e por isso perdem o prazer. A cura para a insegurança quanto à aparência física pode estar em o casal aprender a apreciar mais um ao outro fisicamente.

Postura de espectador durante o ato sexual. Ocorre quando a pessoa tenta observar o seu próprio comportamento de forma ansiosa, por um bom desempenho. A preocupação com o desempenho pode roubar da pessoa a oportunidade de atingir a plenitude do orgasmo.

Não dar o valor devido ao sexo. Desvalorizar o sexo é não ter consciência do plano de Deus nesta área na vida do homem.

Sexo mecânico. Ocorre quando a pessoa pratica o sexo da mesma forma que escova os dentes e vai aos correios. Sexo rotineiro, sem criatividade, ternura nem sensualidade. Quando o sexo acontece sem nenhuma intimidade, leva o casal a sentir-se roubado e lesado, porque é tudo muito mecânico.

Quando o sexo acontece sem nenhuma intimidade, leva o casal a sentir-se roubado e lesado, porque é tudo muito mecânico.

Falta de sensibilidade. A intimidade cresce quando mostramos sensibilidade com as necessidades do outro. Ser sensível ao amor, às formas de amar, aos toques físicos. Todo homem deve se lembrar que a mulher cresce no prazer sexual pelo toque, muito mais do que ele, que vai pelo visual. Lembre-se de que o marido aumenta a sensualidade da esposa quando presta atenção à geografia e às técnicas do ato sexual. Homem e mulher precisam se descobrir sexualmente. O contato físico não deve ser um serviço, mas uma troca de emoções íntimas entre duas pessoas que amam e valorizam uma à outra. Só o contato físico pode eliminar a distância entre duas pessoas, neutralizar a solidão da vida dentro de nossa própria pele e estabelecer um vínculo entre duas mentes, dois corações e dois corpos.

Falta de toque. O contato físico não sexual é fundamental para a intimidade. O toque tem de ser um sinal de intimidade, e não apenas um gatilho sexual. Às vezes, penso que algumas pessoas são tão insensíveis que nada além de uma penetração é capaz de estimulá-las. É de admirar que um número esmagador de mulheres afirme que prefere que o homem as abrace com força e as trate com ternura, esquecendo-se do ato em si.

Excesso de televisão, Internet e smartphones. Esses recursos tecnológicos têm hipnotizado as pessoas a tal ponto que a noção do tempo dedicado a eles desaparece. Existem casamentos que acabaram literalmente por causa dessa tecnologia. Há cônjuges que assistem à televisão ou se enfiam nas redes sociais para fugir das carícias e do sexo.

A ESPOSA E A *PERFORMANCE* SEXUAL

É comum ouvirmos maridos dizerem coisas como "Ela nunca me procura para o ato sexual; sempre espera por mim", o que nos leva a questionar o que fazer quando não há uma atitude "democrática" no leito. A orientação do apóstolo Paulo sobre esta questão é:

> Mas, uma vez que há tanta imoralidade sexual, cada homem deve ter sua própria esposa, e cada mulher, seu próprio marido. O marido deve satisfazer as necessidades conjugais de sua esposa, e a esposa deve fazer o mesmo por seu marido. A esposa não tem autoridade sobre seu corpo, mas sim o marido. Da mesma forma, não é o marido que tem autoridade sobre seu corpo, mas sim a esposa. Não privem um ao outro de terem relações, a menos que ambos concordem em abster-se da intimidade sexual

por certo tempo, a fim de se dedicarem de modo mais pleno à oração. Depois disso, unam-se novamente, para que Satanás não os tente por causa de sua falta de domínio próprio.

1Coríntios 7.2-5

No leito de um casal cristão deve haver o clima da mais absoluta democracia. Tanto o homem como a mulher estão livres para tomar a iniciativa para o ato sexual caso sintam desejo. Quando a sexualidade não é uma experiência vivida com liberdade, a qualidade do ato conjugal tende a ser baixa. Você sabia que as mulheres possuem uma capacidade para amar maior que os homens e que essa capacidade se manifesta em dar e receber? Porém, elas também são mais propensas que os homens a aceitar uma vida amorosa insatisfatória.

Existem cinco razões principais por que algumas mulheres nunca tomam a iniciativa para o ato sexual com o marido. Primeiro, por causa de um tabu que passou de pai para filho: a ideia de que o marido tem de ser o líder e tomar a iniciativa em tudo. Segundo, por timidez e acanhamento quanto à prática do ato em si. Terceiro, um sentimento inconsciente de que, se ela o procurar, será considerada vulgar. Quarto, uma decepção que ela sofreu quando tentou procurar o marido e ele não respondeu positivamente. E, quinto, o mau costume da mulher que sempre foi procurada pelo marido, que sempre fez e faz tudo.

A esposa precisa compreender que, de vez em quando, o marido precisa ser procurado, provocado e seduzido sexualmente. Quando a mulher toma a iniciativa para o ato sexual, ela está contribuindo para que o casamento seja uma experiência de vida renovadora e cada dia mais prazerosa.

Há um texto em Cântico dos Cânticos que fala de uma esposa ousada na prática do ato sexual. No caso, ela é quem toma a iniciativa: "Pouco depois de me afastar deles, encontrei meu amado! Segurei-o e abracei-o com força; levei-o à casa de minha mãe, à cama onde fui concebida. Prometam, ó mulheres de Jerusalém, pelas gazelas e corças selvagens, que não despertarão o amor antes do tempo" (Ct 3.4-5).

Quando a mulher toma a iniciativa para o ato sexual, ela está contribuindo para que o casamento seja uma experiência de vida renovadora e cada dia mais prazerosa.

Certo homem compartilhou comigo que sua esposa se dedica 100% à cozinha e nunca se preocupa em investir no quarto, isto é, na vida sexual, o que o deixava infeliz. Gaye Wheat diz, em seu livro *Sexo e intimidade*,[1] escrito em parceria com Ed Wheat:

> Sabemos que não somos esposas perfeitas. E nossos maridos também o sabem. Mas é possível mantê-los tão felizes que eles nos achem perfeitas, pelo fato de que, nos detalhes que mais importam para eles, aprendemos a agradá-los! Vejam bem, não estou falando aqui de manobras escusas ou manipulações astutas com o intuito de confundir nossos maridos a ponto de levá-los a nos adorar. Eles não são assim tão fáceis de enganar. E, o que é mais importante, há uma maneira melhor de agradá-los — uma que Deus pode honrar, por ser baseada no princípio neotestamentário de servir: "... nós mesmos como vossos servos por amor de Jesus" (2Co 4.5). Quando se trata de relacionamento

[1] São Paulo: Mundo Cristão, 1988.

sexual, a nossa satisfação é necessária para podermos satisfazer o nosso marido. Os homens que classificam sua experiência sexual como extraordinária dizem que ela é assim tão boa devido ao prazer que sentem ao verem as esposas excitadas e vibrando. A maioria dos maridos percebe que o sexo no casamento pode oferecer muito mais do que a satisfação de sua necessidade biológica por uma esposa submissa, no entanto passiva, cansada e entediada. Eles desejam ver as esposas alçarem o êxtase através de sua arte amorosa; e, no entanto, segundo as estatísticas, menos de 40% dos casais gozam satisfação máxima e alívio no ato sexual de forma contínua.

As mulheres podem melhorar na área do ajuste sexual ao tomar algumas atitudes. Assim, sugiro a cada esposa que, primeiro, conscientize-se de que o orgasmo foi programado no coração de Deus para o casal. Não foi o diabo quem criou isso. Segundo, saiba que um casamento no qual não há felicidade sexual por culpa de um dos cônjuges está fadado à falência caso não haja mudança. Terceiro, faça uma autoanálise com relação às suas atitudes sexuais. Quando você ouve a palavra *sexo*, o que vem à sua mente: algo bom, prazeroso e doador, ou algo sujo, repugnante e detestável? Qual era a sua atitude antes de se casar? Você recebeu alguma educação sexual no lar? Talvez você tenha pensado que seu marido saberia tudo o que fosse necessário, o que não ocorre. Você ainda tem inibições sexuais? Você suporta o sexo como um dever, ou o aguarda com prazer? Você é calorosa e sensível à conduta amorosa do seu marido, ou vive fugindo do abraço, dos toques e dos carinhos dele? As experiências da lua de mel a desapontaram ou a fizeram sentir-se mal, estabelecendo um padrão infeliz que ainda não foi alterado? Você teve alguma experiência sexual antes do casamento que a desagradou muito?

Tim e Beverly LaHaye, em seu livro *O ato conjugal*,[2] dão conselhos que podem mudar sua vida sexual:

Mantenha uma atitude mental positiva. O cérebro é o centro do controle sexual feminino. Quando uma pessoa sempre prevê para si o fracasso, nunca é bem-sucedida. A mulher que está preocupada com a felicidade sexual deve saber que pouco vale seu talento, sua inteligência ou sua idade: o fator determinante é a atitude mental.

Relaxe! Relaxe! Relaxe! Não é surpresa para ninguém o fato de uma moça virgem ficar bastante tensa na expectativa de sua primeira união sexual. Por que não estaria? Toda experiência nova que realizamos produz em nós certa excitação nervosa, e isso é perfeitamente normal. Mas como tudo o que acontece na vida, à medida que ela se repete, a pessoa consegue relaxar. É de vital importância que a esposa aprenda a relaxar ao praticar o ato sexual, pois todas as funções orgânicas operam sob tais condições. O marido pode colaborar muito nesse sentido, levando-a com carinho e paciência à excitação. Aí cabem palavras, gestos e mesmo expressões corporais que a estimulem. O verdadeiro amor consegue superar essa fase inicial do relacionamento sexual, em que delicadeza e paciência são fundamentais.

Supere a inibição. Embora o pudor seja uma admirável virtude para a mulher, estará completamente fora do lugar no quarto de dormir. Leva tempo para que uma mulher muito recatada se liberte das inibições naturais que possuía antes do

[2] Belo Horizonte: Betânia, 1976.

casamento e aprenda a agir sem inibição com o marido — mas é absolutamente essencial que isso aconteça.

Lembre-se de que os homens são estimulados pela vista. Os homens são facilmente estimulados pelo que veem, e o mais belo objeto do campo visual masculino é a mulher. Muitos conselheiros insistem com as esposas para tornarem o mais significativo possível o momento em que o marido volta para casa. Banhando-se, arrumando os cabelos e vestindo roupas limpas, elas se preparam para dar ao marido uma acolhida mais calorosa.

Muitos conselheiros insistem com as esposas para tornarem o mais significativo possível o momento em que o marido volta para casa. Banhando-se, arrumando os cabelos e vestindo roupas limpas, elas se preparam para dar ao marido uma acolhida mais calorosa.

Não seja implicante, não o critique, nem o ridicularize. Nada perturba mais um homem do que a implicância, a crítica ou a ridicularização da sua masculinidade. Por mais transtornada que a esposa esteja, ela nunca deve rebaixar-se a agir assim; se o fizer, poderá prejudicar um belíssimo relacionamento.

Lembre-se de que você é o elemento reagente. Deus colocou no coração feminino a notável capacidade de corresponder ao desejo do marido. Por ser estimulado pela vista, muitas vezes o marido aborda a esposa num momento em que o sexo está longe dos pensamentos dela. No caso, a reação da esposa determinará o que vai acontecer em seguida. Se ela reage com um sinal de indiferença (repudiando-o, esbravejando, repelindo-o, bocejando ou algo assim), provavelmente tudo terminará ali mesmo. Por outro lado, se ela se aconchega a ele durante alguns minutos ou reage positivamente à iniciativa do marido, embora a princípio o faça passivamente, aos poucos verá que sua disposição se iguala à dele, à medida que sua sensibilidade amorosa também capta o calor do marido. Muitas esposas já se privaram e a seu marido de inúmeras experiências sexuais agradáveis por não entender a singular capacidade responsiva da mulher.

Observe a higiene feminina diariamente. É preciso tomar muito cuidado, por duas razões: primeira, o muco vaginal em algumas mulheres exala um cheiro forte, principalmente se ele resseca e ela não se banha regularmente; e, segunda, a mulher pode acostumar-se aos odores de seu corpo e não perceber que está cheirando mal.

Conversem livremente entre si. Um dos maiores enganos da mulher é pensar que o marido sabe tudo a respeito de sexo. Isso raramente é verdade. Pode ser que os homens se interessem pelo assunto desde o dia que saem do jardim da infância, mas eles também podem ser muito inibidos para se dirigirem às fontes corretas de informação. Dialogar sobre a vida sexual é de fundamental importância para que o casal experimente a plenitude planejada por Deus.

Se tudo mais fracassar, ore. Este conselho parece simplista, porém os que entendem o que estou dizendo acharão a sugestão válida. Nunca foi intenção de Deus que o casal passasse a vida inteira no deserto sexual do fracasso orgástico.

O MARIDO E A *PERFORMANCE* SEXUAL

Uma das reclamações mais frequentes das esposas nos seminários para casais é: "Ele me magoa o dia inteiro e depois, à noite, quer ter relações comigo. Ele só pensa nele, e nunca se preocupa com a minha satisfação sexual". Infelizmente, para muitas mulheres, o sexo é vivido como um mal necessário, um espaço de silêncio e mil pequenas mágoas.

Isso ocorre porque a satisfação sexual da mulher depende do estado emocional, muito mais do que para o homem. A qualidade do ato sexual está diretamente ligada à qualidade de vida do casal no dia a dia. É impossível querer gozar a plenitude do prazer sexual quando não há investimento na saúde do relacionamento integral. Um marido que só conhece a linguagem do sexo nunca levará a esposa a usufruir com prazer do que Deus planejou.

A mulher é estimulada pela aura romântica que a rodeia e se rende ao homem que exerça sobre ela atração tanto emocional quanto física. Obviamente há exceções, mas o fato permanece: para o homem, o sexo é algo físico; para a mulher, é uma experiência profundamente emocional. Quando o homem entristece a mulher, tratando-a de qualquer maneira, sem respeitar seus sentimentos, ele põe um cadeado nos desejos dela. Por isso, será muito difícil que ela reaja satisfatoriamente no momento do ato sexual.

Lembre-se de que, quando a mulher faz sexo sem intimidade romântica, ela se sente usada. Em vez de participar de um intercâmbio excitante, ela sente que o marido usou o seu corpo para satisfazer a si próprio. Assim, ou ela recusa submeter-se aos seus desejos, ou rende-se com relutância e ressentimento. A falta de coragem e capacidade para expor-se e explicar essa frustração é uma fonte de constante perturbação para a mulher. É o espírito romântico que faz a mulher ter autoestima e lhe dá alegria de viver, fazendo que a sua relação sexual seja adequada.

A manifestação do desejo sexual masculino é diferente do feminino. Em geral os homens ficam excitados mais rapidamente que as mulheres. Podem chegar ao ponto final antes de a companheira se esquecer do jantar que foi servido e do que as crianças vão usar na manhã seguinte. O marido que está sempre preocupado com a satisfação da esposa reconhece a inércia feminina e procura acompanhar o ritmo dela. Infelizmente, algumas mulheres acabam o dia completamente frustradas porque o seu impaciente marido até parece que aposta corrida no ato do amor.

Lembre-se de que, quando a mulher faz sexo sem intimidade romântica, ela se sente usada. Em vez de participar de um intercâmbio excitante, ela sente que o marido usou o seu corpo para satisfazer a si próprio.

Os maridos podem contribuir para que sua esposa usufrua da plenitude do ato sexual desenvolvendo um relacionamento em que haja respeito, comunicação, perdão, comunhão, calor, alegria, bom humor, ajuda mútua e espírito romântico. A qualidade da relação sexual depende da qualidade do relacionamento do casal no dia a dia. Não adianta esperar muito do ato sexual quando houve a banalização do cotidiano. Quem não se preocupa com a qualidade do relacionamento nunca terá uma vida sexual satisfatória. Se o marido sempre estiver muito ocupado para ser delicado, então não poderá esperar que sua esposa demonstre grande interesse e satisfação na cama.

Nem todos os maridos sabem que algumas mulheres não necessitam de orgasmo para apreciar o ato sexual. A compreensão disso pode mudar, e muito, o comportamento dos maridos em relação à esposa. Muitas mulheres podem participar das relações sexuais na íntegra e se sentirem satisfeitas ao seu término, mesmo que não tenha havido o clímax extático e convulsivo. Acho extremamente importante o marido não exigir que a esposa experimente o orgasmo, e não insistir que este ocorra ao mesmo tempo que o seu. Quando o marido insiste que o orgasmo da esposa faça parte do seu próprio êxtase, ela terá apenas três escolhas: perder totalmente o interesse pelo sexo (como acontece quando há fracasso constante em qualquer atividade); tentar, tentar e tentar, e depois chorar; ou pode fingir. Quando a mulher começa a blefar na cama, não para mais. Terá de fazer isso sempre para que o marido pense que ela está numa longa viagem de prazer, quando na verdade o carro nem saiu da garagem.

É impressionante como alguns casais, por não saberem como resolver seus problemas sexuais, fazem um acordo tácito de ignorá-los. Fazer de conta que o problema não existe não resolve a situação. Pode parecer impossível, mas existem casais inibidos que fazem amor durante anos, diversas vezes por semana, sem jamais verbalizar seus sentimentos e frustrações nesse aspecto importante de sua vida conjugal. Quando esse comportamento acontece, há um efeito psicológico destrutivo.

A psicologia estabelece que qualquer pensamento ou situação que produza ansiedade não expressa irá certamente gerar pressão e tensão íntima. Quanto mais abafado o assunto, maior a pressão. O silêncio cheio de ansiedade leva à destruição do desejo sexual. Sempre que o sexo é tido como um assunto proibido entre o casal, a tendência é o ato sexual ser um "espetáculo" em que cada parceiro acha que está sendo analisado e criticado pelo outro. É possível remover essas barreiras quando o marido assume a responsabilidade de soltar a válvula de segurança. Isso acontece quando ele faz que a esposa fale de seus sentimentos, receios e aspirações. Os dois devem dialogar sobre as maneiras e técnicas que os estimulam.

Os dois devem dialogar sobre as maneiras e técnicas que os estimulam.

O casal deve enfrentar os seus problemas com calma e confiança, como adultos amadurecidos. Esse tipo de comunicação descontrai e produz um resultado extraordinário. Isso ocorre porque as tensões e as ansiedades diminuem quando são verbalizadas. Se essa comunicação não existe, deve ser iniciada lenta e gradualmente, com humildade e coragem.

Marido e esposa precisam estar atentos à geografia e às técnicas do ato sexual. As mulheres são mais afetadas pelo ambiente, pelos barulhos e pelos odores do que seu marido. A possibilidade de que os filhos ouçam alguma coisa preocupa mais as mulheres, e elas são mais dependentes da diversidade das circunstâncias e dos métodos.

Conforme as queixas que já ouvi durante o trabalho de aconselhamento pastoral, outro fator que inibe, e muito, as mulheres é a falta de higiene do marido. Um mecânico de automóvel pode estar tão excitado pelo que viu, leu ou pensou durante o dia que pode desejar o ato sexual com esposa no momento em que chega em casa. Ou o marido pode estar suado e não muito limpo depois de um dia de muito trabalho e, nesse caso, cheirando a suor ou com mau hálito. Suas unhas, que podem estar sujas ou ásperas, ou suas mãos calosas podem irritar a pele delicada de sua esposa. Coisas desse tipo podem paralisar sexualmente a mulher e fazer que o marido se sinta rejeitado e zangado.

Como o sexo é importante no casamento, torna-se necessário que se reserve uma ocasião especial para ele. É então que o casal pode usar o poder da criatividade, a fim de planejar aquilo que seja o fator enriquecedor do presente de Deus para o casal que é o ato sexual.

Lembre-se sempre: o sexo é uma bênção de Deus para ser celebrada dentro do casamento. Nunca aceite passivamente uma vida sexual pequena, sem a plenitude do prazer segundo o que foi projetado pelo Senhor. Busque sempre crescer em intimidade para que os encontros sexuais com o seu cônjuge sejam sempre prazerosos.

CONCLUSÃO

Chegamos ao final da nossa jornada. Em toda viagem que fazemos nas páginas de um bom livro, somos desafiados, confrontados, motivados, inspirados e convidados a não parar de crescer. Quem desiste de aprender foi vencido pelo orgulho e acabará perdendo o melhor da existência.

O melhor da vida sempre depende das escolhas que fazemos. A maioria das pessoas prefere escolher o caminho mais fácil, o da *mediocridade*; poucos são os que escolhem o mais difícil, o da *excelência*. Quando optamos por ser excelentes, decidimos edificar o nosso projeto de vida sobre a rocha sólida dos princípios ensinados por Jesus no evangelho — o que demanda esforço e humildade. Porém, aqueles que dão de ombros a esses princípios, fazem a opção pelo caminho mais fácil, construindo o seu projeto de vida sobre a areia. Contudo, essa construção não resistirá aos tempos difíceis. Sem esforço e humildade não é possível construir um casamento e uma família à prova do tempo e das adversidades.

Desde o início do meu casamento, mais de três décadas atrás, minha esposa e eu decidimos construir nossa vida conjugal e familiar sobre as verdades da Palavra de Deus, conforme compartilhei com você. Procuramos aprender com os erros dos nossos pais e com os nossos próprios. Resolvemos ser agentes de transformação, um ajudando o outro a ser uma pessoa melhor.

Se você me perguntasse qual é o segredo das pessoas que vivem uma vida conjugal e familiar que realmente vale a pena, eu lhe diria: "Elas têm um coração aberto a ser ensinado". Ter um coração como esse é ter vontade de aprender sempre, é ter humildade para aceitar a repreensão, é reconhecer a própria ignorância, é não aceitar a mediocridade como estilo de vida, é ouvir sempre a voz da sabedoria ao ler as Escrituras Sagradas.

Ao longo das páginas deste livro, deixei meu coração falar ao seu a respeito dos fundamentos sobre os quais devemos construir o casamento e a família. Quem escolhe o caminho da excelência na vida sabe que existe um preço a ser pago: o de renúncia, disciplina, dedicação, doação, entrega, persistência e perdão. Sabemos que não é fácil, porém vale a pena. Lembre-se: quando marido e mulher fazem a opção radical de tomar todas as suas decisões com base nos valores do evangelho, nunca terão uma vida conjugal sem qualidade; pelo contrário, eles viverão o melhor de Deus.

Fica aqui minha recomendação: escolha sempre o estreito caminho da excelência. Escolher a excelência é decidir viver de acordo com os valores do evangelho, é dizer *não* a uma vida pequena e sem brilho, é não aceitar a irrelevância, vivendo à margem daquilo que o Senhor planejou para todos. Escolher a excelência é tomar posse da vida abundante que Jesus prometeu, é fazer da casa um pedaço do céu, é ser um canal da graça do Senhor em favor do outro; é pôr Jesus no centro de tudo no casamento e na família. Escolher a excelência é dizer *sim* à dor da disciplina, sabendo que é uma dor que vale a pena; é olhar para o outro pelas lentes do amor incondicional; é acreditar no plano que o Eterno traçou para cada casal; é fazer da felicidade uma semente, para que amanhã ela seja uma colheita.

É fazer a melhor escolha da vida.

As pessoas que escolhem a excelência, deixando a vida ser governada pelos princípios da Palavra de Deus, constroem uma família indestrutível. Faça a melhor escolha: decida pelo caminho da excelência.

OREMOS

Pai amado, muitas são as pressões da vida para que minha família seja destruída. Peço-te que preserves aqueles que me deste e os livres de todo mal. Livra-nos das tentações, das fraquezas, dos pecados e de tudo aquilo que tenta abalar nosso relacionamento e nossa união familiar. Perdoa nossas falhas e guia-nos por toda a vida, a fim de vivermos de acordo com a tua vontade. Guarda nosso lar e que ele seja santo e consagrado a ti.

Em nome de Jesus. Amém.

A esposa está ligada ao marido enquanto ele viver.

1 Coríntios 7.39

SOBRE O AUTOR

Josué Gonçalves é escritor, conferencista, terapeuta familiar e pastor da Assembleia de Deus em Bragança Paulista (SP). Fundador e presidente do Projeto Família Debaixo da Graça. É casado com Rousemary e pai de Letícia, Douglas e Pedro.

Compartilhe suas impressões de leitura escrevendo para:
opiniao-do-leitor@mundocristao.com.br
Acesse nosso *site*: www.mundocristao.com.br

Equipe MC: Maurício Zágari (editor)
Ester Tarrone
Heda Lopes
Natália Custódio
Diagramação: Luciana Di Iorio
Preparação: Cristina Fernandes
Revisão: Josemar de Souza Pinto
Gráfica: Imprensa da Fé
Fonte: ITC Berkeley Oldstyle Std
Papel: Chambril Avena 70 g/m² (miolo)
Cartão 250 g/m² (capa)